Tudalen 1:
Y Cynghorydd Edgar Jones yn croesawu
Ysgol Haf Plaid Cymru i Bwllheli, 1975,
ar ran Cyngor Dwyfor.

Argraffiad cyntaf: Mai 1981

ⓗ Y Lolfa 1981

Rhif Llyfr Safonol Rhyngwladol: 0 86243 011 9

Y Lolfa

Argraffwyd a chyhoeddwyd yng Nghymru gan
Y Lolfa Cyf., Talybont, Ceredigion SY24 5HE;
ffôn Talybont (097086) 304.

CYMRU'N DEFFRO

Hanes y Blaid Genedlaethol 1925-75

Golygydd/ JOHN DAVIES

Pocedlyfrau'r

olfa

Diolch i Heini Gruffudd am lun y clawr blaen

Rhagair

Sefydlwyd Plaid Genedlaethol Cymru yng Ngwesty'r Maes Gwyn, Pwllheli ar y pumed o Awst 1925. Ar yr ail o Awst 1975, i ddathlu hanner canmlwyddiant y Blaid, cynhaliwyd rali fawr a brwdfrydig ar faes Pwllheli o flaen yr hen westy ac ar y diwrnod canlynol ym mynwent Llandinorwig, Deiniolen, dad-orchuddiwyd plac ar fedd H.R.Jones, sylfaenydd y Blaid. Yn ogystal, rhwng y cyntaf a'r trydydd o Awst, traddodwyd ym Mhwllheli wyth darlith yn olrhain hanes y Blaid o'r dauddegau i'r saithdegau. Recordwyd y darlithiau a'r bwriad gwreiddiol oedd gwerthu casetiau ohonynt. Fodd bynnag, teimlodd pwyllgor cyhoeddiadau'r Blaid mai buddiol fyddai cael y darlithiau ar ffurf llyfr ac, o'r diwedd, dyma'r llyfr hwnnw. Cyhoeddir trwch y darlithiau yn eu ffurf gwreiddiol ond achubodd rhai o'r siaradwyr y cyfle i ehangu eu cyfraniadau ac i newid rhywfaint ar yr arddull. Yn Saesneg y traddodwyd darlithiau Gerald Morgan, Dafydd Jenkins a Phil Williams. Bu Dafydd Jenkins mor garedig â pharatoi fersiwn Cymraeg o'i ddarlith ef a chafwyd cymorth parod y Cyngor Llyfrau Cymraeg wrth gyfieithu'r ddwy arall. Etifeddais y gwaith o baratoi'r darlithiau ar gyfer y wasg oddi wrth Elan Closs Stephens, fy rhagflaenydd yn y swydd o gadeirydd pwyllgor cyhoeddiadau'r Blaid. Meinir Morgan o Swyddfa'r Blaid yn Aberystwyth a fu'n gyfrifol am godi rhannau o'r darlithiau o dapiau ac am deipio'r llawysgrif a phleser yw cydnabod ei chymorth hawddgar. Yr ydym yn ddyledus i Wasg y Lolfa am eu parodrwydd i gyhoeddi'r gyfrol.

Croniclir yma hanner can mlynedd o'r frwydr dros Gymru. Tyfodd y mudiad a sefydlwyd gan chwech o wŷr ifainc ym 1925 1925 i fod yn rym ym mywyd Cymru. Bydded i'r record hon o ffydd, gweledigaeth, brwdfrydedd a dyfalbarhad aelodau'r Blaid yn ysbrydoliaeth i genhedlaeth newydd o genedlaetholwyr Cymreig.

Mawrth 1981   **JOHN DAVIES**

Cynnwys

Gerald Morgan

DANNEDD Y DDRAIG

Ar brynhawn Sadwrn, Medi'r 20fed, 1924, anerchai gŵr ifanc gwelw ddyrnaid bychan o Gymry a ddaethai ynghyd, ar ei gais ef, i ystafell gefn yng Nghaffi'r *Queen's*, Caernarfon. Doedd o ddim yn siaradwr da; baglai'n aml, gan chwerthin yn nerfus wrth ateb cwestiynau. Ei fwriad wrth alw'r cyfarfod oedd sefydlu'r hyn a alwai ef yn Fyddin Ymreolwyr Cymru, a gwahoddasai i'r cyfarfod bobl a allai, yn ei dyb ef, ymddiddori mewn mudiad o'r fath. Gwnaethai ymgais cyn hyn, ym 1923, i gynnal cyfarfod cyffelyb yng Nghaernarfon, ond mynd i'r gwellt wnaeth hwnnw.

Criw amrywiol oedd y rhai a ddaethai yno i wrando arno — rhyw ddeg ar hugain ohonynt, i gyd o Gaernarfon a'r cylch, ac yn cynrychioli llawer haen o'r bywyd Cymreig. Y cadeirydd oedd y Dr Iorwerth Lloyd Owen o Gricieth, gŵr yr oedd ei ddull o'i fynegi ei hun yn ei gwneud bron yn amhosibl i neb ei ddeall, a gŵr a feddai ar lawysgrifen drychinebus, hyd yn oed yn ôl safonau meddygon. Ym 1911, cyhoeddasai bamffledyn grymus o blaid ymreolaeth i Gymru: *Ysbryd Glyndwr*, neu *Y Cledd Lle Metho Hedd*, ac yr oedd darllenwyr papurau a chyfnodolion Cymraeg yn hen gyfarwydd â'i lythyrau. Cyfoeswyr oedd cenhedlaeth Lloyd Owen â mudiad Cymru Fydd, a dichon iddo fod wedi clywed pregethau Emrys ap Iwan (a fu farw ym 1906).

Ymhlith yr ysgolheigion yn y cyfarfod yr oedd Ifor Williams, darlithydd yn yr Adran Gymraeg ym Mangor. Tra parhai Syr John Morris-Jones i ddarlithio yn Saesneg, a chyhoeddi'r rhan fwyaf o'i waith academaidd yn Saesneg, mynd yn groes i'r traddodiad hwn a wnaethai Ifor Williams, gan ddarlithio a chyhoeddi bron yn gyfangwbl yn Gymraeg.

Diau mai'r gŵr amlycaf yn y cyfarfod oedd Thomas Rees, Prifathro Coleg Diwinyddol Bala-Bangor. Roedd yn ysgolhaig disglair ac yn heddychwr diwyro, a chynrychiolai'r traddodiad annibynnol sydd, o ddyddiau Michael D. Jones hyd y dydd heddiw, wedi cyfrannu cymaint tuag at draddodiad cenedlaethol-deb Cymreig.

Ymhlith y nifer o weinidogion a oedd yn bresennol, yr oedd Lewis Valentine, Bedyddiwr ifanc yn ei ofalaeth gyntaf yn Llandudno. Aethai Valentine trwy'r Rhyfel Byd Cyntaf, ac effaith hyn arno fu ei droi'n heddychwr. Ym 1920, ef oedd arweinydd gwrthdystiad ym Mangor yn erbyn y driniaeth a dderbyniasai'r Gwyddel, Kevin Barry, dan law'r Llywodraeth. Rhywbryd ym 1921, ffurfiasai ef a grŵp o fyfyrwyr o Goleg y Brifysgol, Bangor, Y Gymdeithas Genedlaethol Gymreig, neu'r Tair G. Mawrth 14eg, 1922 oedd dyddiad swyddogol sefydlu'r Gymdeithas, gydag E.T. John yn Llywydd. Bu John yn Aelod Seneddol Rhyddfrydol dros Ddwyrain Sir Ddinbych o 1910-1918, a chyflwynasai Ddeddf Ymreolaeth i Gymru ym 1914. Yn nes ymlaen, safodd yn aflwyddiannus fel ymgeisydd o Genedlaetholwr Cymreig a Llafur. Ef oedd Llywydd Undeb y Cymdeithasau Cymraeg, a bu mewn cyfres o gyfarfodydd yn Llandrindod dan nawdd gwahanol gyrff ym 1917, 1918 a 1919 i drafod hybu Ymreolaeth i Gymru neu Gyngor Cenedlaethol Cymreig.

Nid plaid wleidyddol oedd y "Tair G", er bod iddi raglen. Galwai am wladoli chwareli, pyllau glo a chludiant, datblygu trydan dŵr, ac am i Loegr dalu i Gymru am ei dŵr. Cymraeg fyddai iaith swyddogol Cymru, ac unig iaith y Senedd. Pen-llanw gweithgareddau'r gymdeithas fu cynnal cyfarfod yn Eisteddfod Genedlaethol Yr Wyddgrug ym 1923, lle bu cyn-filwr arall yn annerch ar bwnc hawliau Cymru ac ar hunan-lywodraeth. Saunders Lewis oedd hwn.

Buasai Saunders Lewis yn swyddog yn y Fyddin yn Ffrainc, ac wedi graddio mewn Saesneg yn Lerpwl, cawsai gyfnod byr fel llyfrgellydd cyn dod yn ddarlithydd yn y Gymraeg yn y Coleg Prifysgol newydd yn Abertawe. Traddododd ddau anerchiad yn Eisteddfod Yr Wyddgrug: un ar y bardd Goronwy Owen, a'r llall yng nghyfarfod y Tair G. Parodd ei eiriau rhyw-faint o gynnwrf, a gellir darllen rhan o'i araith mewn datganiad a anfonodd i *Faner ac Amserau Cymru*, Awst 9fed, 1923. Roedd *Y Faner* wedi awgrymu y dylid cynnal cynhadledd

genedlaethol ar genedlaetholdeb, gan wahodd ymateb. Dyma
ran o ateb Saunders Lewis:

> Nid cynhadledd a achub ein cyflwr, eithr disgyblaeth ac ufudd-dod.
> Na cheisiwch gynhadledd lle y gall holl glebrwyr Cymru areithio'n ddi-
> fudd, ond y flwyddyn nesaf, ffurfiwch fataliwn a gwersyll Cymreig, a
> phob Cymro a fynno wasanaethu ei wlad i ddyfod yno a drilio ynghyd
> am bythefnos ac ufuddhau i orchmynion milwraidd, fel y caffont wers
> mewn gweithio ynghyd yn dawel ac heb ffraeo, pawb yn fodlon ufudd-
> hau ac i'w gospi onis gwnelo. A gwnewch hyn am bum mlynedd, heb
> glebran. Drilio heb arfau, ac felly yn gwbl agored ac heb dorri cyfraith
> unrhyw wlad, ond ein paratoi ein hunain felly i dderbyn deddfau ac
> arweiniad gan Gymry. Pe caem gant neu hanner cant neu ugain yn unig
> y flwyddyn gyntaf i wneuthur hyn, dyma fudiad pwysicaf Cymru er's
> dyddiau Glyndwr. Yr wyf yn hollol ddifrifol.

Dim rhyfedd i'r cyfarfod yn Yr Wyddgrug gynhyrfu'r dyfroedd.
Yn sicr, creodd fwy o effaith nag a wnaeth gan gyfarfod arall yn
yr un dref, a alwyd gan William George, brawd Lloyd George,
lle'r oedd Syr John Morris-Jones, T. Gwynn Jones, Prosser Rhys
ac eraill yn bresennol. Chafodd hwnnw ddim effaith o gwbl.
Ond, er bod i'r cyfarfod a anerchwyd gan Saunders Lewis ei le
yn yr olyniaeth a arweiniodd at sefydlu Plaid Cymru, fe gymer-
odd Saunders Lewis sylw o'r feirniadaeth a gafodd ei syniadau.
Yn wir, hyd y gwn i, ni fynegodd y syniadau hyn ar goedd eto.
Er i Gymru gynhyrchu mwy na'i chyfran o filwyr trwy gydol y
Rhyfel Byd Cyntaf, ac i wrthwynebwyr cydwybodol ei chael
hi'n o ddrwg, roedd yr adwaith Cymreig i filwriaeth yn amlwg
ar gerdded yn y dauddegau cynnar, a diddorol yw sylwi i Blaid
Cymru ei hun, yn nes ymlaen, ddod yn rhannol gysylltiedig â'r
mudiad heddwch. Bu llawer o aelodau blaenllaw'r Blaid yn
wrthwynebwyr cydwybodol yn yr Ail Ryfel Byd (ar sail cenedl-
aetholdeb). Erbyn 1923, roedd syniadau Saunders Lewis eisoes
yn annerbynniol, a newidiodd ei safbwynt, fel y gwelwn.

Ond, i ddychwelyd i'r cyfarfod hwnnw yng Nghaernarfon ar
y prynhawn Sadwrn ym Medi 1924; rhyngddynt, roedd gan y
rhai a oedd yn bresennol gyfoeth o brofiad, ac yr oedd hynny'n
wir hefyd am y gŵr ifanc a'u hanerchai. Cyn-chwarelwr ydoedd,
ac afiechyd wedi ei orfodi i weithio fel trafaeliwr nwyddau
groser. Deuai o Caradog Place ym mhentref Ebenezer —enw
sydd bellach wedi diflannu oddi ar fapiau Sir Gaernarfon, a'i
enw oedd H.R. Jones. Breuddwydiwr a gweledydd oedd

"H.R.", y magwyd ei genedlaetholdeb trwy'r llyfrau hanes a ddarllenodd, a thrwy gysylltiad â chenedlaetholwyr Iwerddon. Roedd hanes y Gwyddyl ar flaenau ei fysedd; bu yn Nulyn lawer gwaith; ysgrifenasai at Eamonn De Valera yng nghylch y cyfarfod arfaethedig ym mis Medi, a thrysorai ddau beth a ddaethai'n ôl gydag ef o'i ymweliadau â Dulyn —gwasg argraffu fechan, a ffrwydryn Mills "byw" —yn ei ddesg y cadwai hwn.

Cawsai brofiad eisoes o geisio ennyn diddordeb mewn cenedlaetholdeb Cymreig. Ym 1923 a 1924, bu'n gohebu â Chymry y gwyddai am eu henwau, a phan grybwyllodd y syniad o Gymdeithas Ymreolaeth Gymreig wrth un o'r rhain yn Aberystwyth, Iorwerth Peate, cafodd ateb gan Peate ar Ebrill 15eg, 1924, yn enwi Saunders Lewis, Ambrose Bebb a Phrosser Rhys fel rhai a fyddai'n ymddiddori yn y syniad. Mae'n sicr y gwyddai H.R. am Saunders Lewis yn ôl yr adroddiadau am y cyfarfod ym 1923 yn Yr Wyddgrug, a dyfynnid Ambrose Bebb yn aml yn wythnosolion Cymraeg Caernarfon, *Yr Herald* a'r *Genedl.* Buasai Bebb yn darlithio ym Mharis, ac yr oedd cenedl-cenedlaetholwr Llydewig, Yann Bricler, a ymwelodd â Chymru ym 1923, wedi cael gafael arno i ysgrifennu erthyglau Cymraeg i'r cylchgrawn Llydaweg, *Breiz Atao.*

Mewn erthygl ym mis Ebrill 1924, awgrymasai Bebb roi'r gorau i'r pleidiau traddodiadol gan mai Seisnig oeddynt:

> Y mae'n anhepgor inni ffurfio plaid inni ein hunain, —un hollol genedl-aethol, na fynn ymhel â gwleidyddiaeth Lloegr, nac ymdrybaeddu yn helyntion ei phleidiau. Honno'n unig ddaw â Senedd i Gymru.

Nid syniad newydd mo hwn; fe'i crybwyllwyd ym 1921 gan John Williams, Brynsiencyn, ac eto ym 1923 gan y bardd a'r golygydd Dyfnallt, pan ysgrifennodd ym mhapur newydd wyth-nosol Aberdâr, *Y Darian* (dyfynnwyd yn *Yr Herald Gymraeg,* 10.4.23).

Ond Bebb, mae'n debyg, a ddatblygodd y syniad hwn, trwy gysylltiadau ag un a fu'n gyd-fyfyriwr ag ef, G.J. Williams — yntau hefyd yn Gardi —o Adran Gymraeg Caerdydd, a chyda Saunders Lewis. Cyfarfu'r tri hyn ar Ionawr 7fed, 1924, a ffurfio'r "Mudiad Cymreig". Bu cyfarfod pellach yn Abertawe yn ystod y flwyddyn, gyda phump o aelodau ychwanegol — Dyfnallt, Fred Jones, Ben Bowen Thomas, R.A. Thomas a

D.J. Williams.

Gellir cymryd y cymeriadau a'r digwyddiadau hyn oll fel cefndir i gyfarfod H.R. yng Nghaffi'r *Queen's*, Caernarfon. Yn ôl adroddiad *Yr Herald*, cyfarfod aflwyddiannus ydoedd:

> Nid oedd pawb o'r un farn parthed beth i ymladd amdano, ac mewn annealltwriaeth y terfynodd y cyfarfod. Pasiwyd fodd bynnag i ymffurfio'n 'Fyddin o Ymreolwyr Cymreig', a phenodwyd pwyllgor a swyddogion.
>
> Onid yw'r mudiad am Ymreolaeth i Gymru yn rhywbeth mwy difrifol a chyfrifol na'r cyfarfod hwn, goreu po gyntaf i roi terfyn arno.

Ac yr oedd *Yr Herald*, y dyddiau hynny, yn lled gefnogol i ymreolaeth. Fodd bynnag, dyma'r Fyddin mewn bodolaeth, a chyda swyddogion hefyd —Gwallter Llyfnwy (Walter Jones), Cadeirydd; Alwyn Owen, Rhyd-ddu, Trysorydd; H.R. Jones, Ysgrifennydd.

Nid oedd hon y Fyddin gyntaf i H.R. ei chynnull. Ar Awst 15fed, bum wythnos ynghynt, daethai nifer o bobl oedd â diddordeb mewn Ymreolaeth ynghyd yn Nhŷ'r Crynwyr yn Llandrindod, ar gais Dr Lloyd Owen. Thomas Rees oedd yn y gadair, a H.R. oedd yr ysgrifennydd. Yn ôl adroddiad *Yr Herald* (26.8.24) roedd H.R. yn barod i rannu cardiau ymrwymiad i bawb oedd yn awyddus i arwyddo, a buan yr oedd yr rhain ar gael. Dyma oedd arnynt:

> Yr wyf i yn barod i bleidio pob mesur democrataidd —ond i roddi mesur mesur Cymreig (Mesur Ymreolaeth yn bennaf oll) o flaen unrhyw fesur arall. Mewn gair yr wyf yn penderfynu rhoddi Cymru o flaen y pleidiau.

Yn dilyn y cyfarfod hwn, cynhaliwyd yr hyn a hysbysebwyd fel cyfarfod blynyddol Byddin yr Iaith. Rhanasai ysgrifennydd y mudiad hwn, Mihangell Evans o Langynog, Maldwyn, nifer o fathodynnau.

Cyn diwedd 1924, ymddangosai na fyddai Byddin Ymreolaeth Cymru ronyn yn fwy effeithiol na grwpiau Llandrindod, er bod gan Blaid Cymru yn ei meddiant o hyd fwndel o 72 o gardiau aelodaeth wedi'u harwyddo. Dyma oedd ar y cerdyn hwnnw:

> Ardystiaf trwy hyn fy mod yn ymaelodi ym Myddin Ymreolwyr Cymru. Gwnaf yr hyn sydd yn fy ngallu i gynorthwyo Cymru, Cymry a phobpeth Cymreig, ac i fynu Ymreolaeth i Gymru. Yr wyf yn

barod ar alwad swyddogion y Fyddin i wneuthur yr hyn a elwir arnaf er mwyn Cymru ac Ymreolaeth i Gymru.

Fodd bynnag, ar Dachwedd 24ain, 1924, ysgrifennodd Alwyn Owen at H.R, yn argymell y dylai'r Fyddin yn ei chyfarfod nesaf, ail-ymffurfio fel Y Blaid Genedlaethol Gymreig. Awgrymodd y dylai gynnig ei hymgeiswyr ei hun ar gyfer etholiadau, a chefnogi Cynghrair y Cenhedloedd.

Ymateb yn frwd i awgrym ei gyfaill a wnaeth H.R., ac mewn cyfarfod ar Ragfyr 20fed, eto yng Nghaffi'r *Queen's*, Caernarfon, ymffurfiodd yr aelodau yn Blaid Genedlaethol Gymreig, gyda Lewis Valentine yn llywydd, Dr Lloyd Owen yn drysorydd, Gwilym R. Jones yn ysgrifennydd, a H.R. Jones yn drefnydd. (Gyda llaw, roedd Gwilym R. yn bresennol yn y cyfarfod ym mis Medi, ac i'w gof craff ef yr wyf yn ddyledus am y disgrifiad ohono. Ei fenter gyntaf yn y maes hwn oedd pan ysgrifennodd at Olygydd *Yr Herald* ym mis Rhagfyr 1922, yn gofyn iddo arwain ffurfio Cymdeithas o Genedlaetholwyr Cymreig).

Edrychai'r tro hwn fel petai H.R. wedi cael gwreiddyn y mater. Yn gynnar ym 1925, bwriadai'r Weinyddiaeth Bensiynau gau ei swyddfa ranberthol yng Nghaerdydd, ac ysgrifennodd H.R. at y Gweinidog i nodi gwrthwynebiad y Blaid. Ar Chwefror 13eg, 1925, dan bwysau'r A.S. Llafur dros Bont-y-Pŵl, dywedodd Ysgrifennydd Seneddol y Gweinidog fod y Gweinidog wedi addo cyfarfod â'r Blaid Genedlaethol Gymreig cyn i'r Swyddfa gau, ond gwrthododd dynnu'n ôl y rhybudd cau yn y cyfnod cyn y cyfarfod. Fodd bynnag, ysgrifennodd y Gweinidog wedyn at H.R. Jones i ddweud mai dibwynt fuasai cynnal cyfarfod, gan mai cau fyddai tynged y swyddfa beth bynnag. Felly, rhoddwyd taw ar feirniadaeth seneddol trwy roi addewid a dorrwyd yn sinigaidd. Unig lwyddiant y Blaid fu cael ei chrybwyll yn *Hansard* am y tro cyntaf. Er hynny, byddai'n defnyddio'r math yma o weithredu gwleidyddol yn amlach ac yn fwy effeithiol yn y dyfodol.

Ym mis Chwefror 1925, cymerodd H.R. gam hollbwysig; ysgrifennodd at Saunders Lewis —am y tro cyntaf, mae'n debyg —yn ei wahodd i ddod yn is-lywydd y Blaid Genedlaethol, ac ar Ddydd Gŵyl Dewi, atebodd Saunders Lewis. Byddai'n derbyn

13

y gwahoddiad ar rai amodau —fod y Blaid yn cytuno ar yr angen am Gymraeg gorfodol, ac ar yr angen i dorri ymaith yn llwyr oddi wrth bleidiau Seisnig ac â San Steffan.

Byddai'r amodau hyn yn ffurfio meddylfryd y Blaid am flynyddoedd i ddod.

Ateb H.R. Jones oedd anfon taflen yn syth o'r wasg, gyda rhestr o swyddogion a datganiad o fwriadau'r blaid newydd. Wele'r rhestr swyddogion:

Llywydd: Lewis Valentine
Is-lywyddion: Y Fonesig Mallt Williams, Saunders Lewis a Meuryn.
Trysorydd: Dr Iorwerth Owain
Ysgrifenyddion: Alwyn Owain a Gwilym R. Jones
Trefnydd: H.R. Jones

Yr amcanion oedd ennill hunan lywodraeth, a hybu'r iaith Gymraeg, gyda'r amodau a osodwyd i lawr gan Sunders Lewis.

Ond prin fod Saunders Lewis yn hapus ynglŷn â'r daflen:

'Mae hunan-lywodraeth yn nod rhy annelwig'.

ysgrifennodd mewn ateb i H.R. ym mis Ebrill. Ni chredai ef y cytunai neb ar beth oedd hunan lywodraeth mewn gwirionedd. Mynnai wybod hefyd beth oedd polisi cyffredinol y Blaid, ac nid oedd yn dda ganddo y rhestr faith o swyddogion.

Ymateb parod H.R., y carwr pamffledi, oedd taflen argraffedig arall a gydymffurfiai â'r beirniadaethau hyn —ac o ganlyniad, nid oedd yn llenyddiaeth swyddogol y Blaid Genedlaethol Gymreig unrhyw gyfeiriad at Ymreolaeth nac unrhyw fath o hunan lywodraeth. Yn ei areithiau cyhoeddus (yn aml yng nghyfarfodydd Undeb y Cymdeithasau Cymraeg), bu Saunders Lewis yn dadlau y dylid datblygu hunan lywodraeth trwy drawsnewid llywodraeth leol, yn hytrach na thrwy San Steffan, ac wrth wraidd ei syniadau, roedd yr iaith Gymraeg —mater gwleidyddol, fel y dadleuai ef. Hwyrach y dylanwadwyd arno yn hyn o beth gan lwyddiant Sinn Feinn ym 1918, pan feddiannodd y Gwyddelod lawer o weinyddiaeth sifil Iwerddon yn ddirgel, gan adael y llysoedd Prydeinig yn weigion. Ond erbyn canol y dauddegau, prin y gellid cyfrif Saunders Lewis yn un o edmygwyr Sinn Fein. Pan ysgrifennodd H.R. ym 1926 ei

Ar y dde:
H.R.Jones, Trefnydd cyntaf Plaid Cymru, a'r person mwyaf allweddol yn ei sylfaenu.

Isod:
Gwynfor Evans, ym 1975, yn dadorchuddio cofeb i fan cychwyn Plaid Cymru yng Ngwesty'r Maes Gwyn, Pwllheli, Awst 5, 1925.

fod am wahodd De Valera i Ysgol Haf gyntaf y Blaid, ysgrifennodd Saunders Lewis yn ôl yn condemnio De Valera a'i bolisïau yn hallt.

Ar ddiwedd Mawrth 1925, ysgrifennodd D.J. Williams ei lythyr cyntaf at H.R. Jones: ateb, efallai, i'r un llythyr a anfonwyd at Saunders Lewis; cytuno'n frwdfrydig a wnaeth D.J. Williams, ac felly daeth i'r Blaid y gŵr a fu —ac ni chredaf y buasai neb yn gwarafun y farn hon —y ffyddlonaf a mwyaf hael o'i holl aelodau.

Daliai H.R. i ddibynnu ar ei waith fel trafeiliwr, ond gwnâi'r hyn a allai i gyfiawnhau'r teitl "trefnydd". Teithiai i Dde Cymru i gyfarfod â'r grŵp o genedlaetholwyr yng Nghaerdydd. Ysgrifennai lythyrau di-ri, ond os cynhaliwyd cyfarfodydd o'r blaid, nid erys unrhyw gofnod yn yr archifau. Un cyfeiriad yn unig a ganfûm i, sef cyfeiriad at gyfarfod o bwyllgor y Blaid ar Fai 23ain, lle pasiwyd penderfyniad yn condemnio penodi dau Sais yn athrawon ym Mhrifysgol Cymru, ac yn gofyn ar i bob darlithydd fedru dysgu yn Gymraeg ymhen blwyddyn!

Bu H.R. wrthi hefyd yn ysgrifennu. Yn ystod 1924, ac yn gynnar ym 1925, ysgrifennodd lawer i'r *Herald*, dan deitlau megis "Neges Cymru i'w Hymreolwyr", "Caru Cymru" a disgrifiad o Gymru yn 2250 O.C. Arddull gweledydd oedd ganddo, a bydd unrhyw un sy'n gyfarwydd â llenyddiaeth Rhyfel y Degwm yn adnabod y math yma o ysgrifennu:

> Cenedlaetholdeb yw ein genedigaeth-fraint a choron cenedlaetholdeb yw hunan-lywodraeth . . . gwelodd y bobl a gerddai gynt mewn tywyllwch oleuni mawr. Gwelsom y goleuni; gwelsom ein genedigaeth-fraint yn disgleirio drwy'r tywyllwch, yr hawl i reoli'n gwlad éin hunain. A ydych chwi yn barod i aberthu dros Gymru, eich gwlad? Nid gyda chleddyf neu ddryll, ac nid gyda nwy neu gannon ond gyda phenderfyniad di-ildio i amddiffyn buddiannau uchaf Cymru.

Trwy gyhoeddi'r erthyglau hyn, a thrwy gyfrwng ysgrifau golygyddol ffafriol i'r blaid newydd ym misoedd Chwefror a Mai 1925, gwnaeth *Yr Herald* yr hyn a allai i gefnogi H.R. a'i grŵp; golygydd *Yr Herald* erbyn hyn, wrth gwrs, oedd Meuryn, un o is-lywyddion newydd y blaid.

Yn ystod gwanwyn 1925, daethpwyd i benderfyniad holl bwysig, er nad wyf eto wedi darganfod yr union amgylchiadau. Penderfynwyd y dylid cael cyfarfod ym Mhwllheli yn ystod yr

Eisteddfod Genedlaethol i osod y blaid ar sail newydd. Dyma lythyr Lewis Valentine ar Galan Mai 1925 at H.R. Jones a oedd, ar y pryd, yn isel ei ysbryd:

> Yr wyf newydd ddychwelyd o'r deheudir. Gwelais rai o gyfeillion Saunders Lewis ar fy nhaith, ac y maent yn disgwyl wrthym. Yr wyf yn rhoi pwys mawr ar yr hyn a ddigwydd ym Mhwllheli; fe fydd awdurdod cenedl wedyn y tu ôl i bopeth a wnawn.

Y llythyr hwn yw'r cyfeiriad cyntaf a ganfûm at y cynllun am gyfarfod ym Mhwllheli. Mewn gwirionedd, cynhaliwyd dau gyfarfod, y cyntaf yn breifat a'r ail yn gyhoeddus. Cynhaliwyd y cyfarfod preifat ar brynhawn Mercher, Awst 5ed, 1925, yn Nhemprans y Maes Gwyn. Chwech yn unig o'r rhai a wahoddwyd a lwyddodd i ddod —Lewis Valentine, Moses Griffith o Ddolgellau, Saunders Lewis, D.E. Williams o'r Groeslon, Y Parch. Fred Jones a H.R. Etholwyd swyddogion —Lewis Valentine yn Llywydd, Moses Gruffydd yn Drysorydd, H.R. Jones yn Ysgrifennydd, a thri aelod arall o'r pwyllgor gwaith, Saunders Lewis, Fred Jones a D.J. Williams. Penderfyniad pwysicaf y cyfarfod oedd cynnal Ysgol Haf y flwyddyn ganlynol. Yr oedd traddodiad o gynnal Ysgolion Haf i hybu agweddau ar y diwylliant Cymreig yn bod eisoes, a naturiol oedd i'r pwyllgor ddewis ffurf o'r fath.

Mabwysiadodd y cyfarfod hefyd deitl newydd —Plaid Genedlaethol Cymru —yn lle teitl Caernarfon.

Cynhaliwyd y cyfarfod cyhoeddus y diwrnod canlynol, yng Nghapel y Bedyddwyr, Stryd Penlan, Pwllheli, am 5.30. Meuryn, golygydd *Yr Herald*, oedd y cadeirydd, a'r cyntaf i draddodi araith yn un o gyfarfodydd cyhoeddus Plaid Cymru oedd D.J. Williams, ac yntau newydd gyrraedd ar y trên o'r De, gan gyfarfod Saunders Lewis ar y platfform wrth i hwnnw gychwyn yn ei ôl am Abertawe. Doedd gan D.J. Williams ddim syniad fod disgwyl iddo annerch, ond gwnaeth ei orau. "Mae Cymru wedi bod dan y dŵr hyd yn awr", meddai, "ond fe ddylasem gofio mai yn y dŵr y cychwynnodd bywyd". Aeth yn ei flaen i sôn am yr angen i baratoi Cymru ar gyfer hunan lywodraeth; siaradodd Fred Jones am yr angen i fynnu gwell triniaeth i'r iaith Gymraeg, a thraddododd Lewis Valentine ychydig eiriau am bwrpas ac amcanion y blaid.

Felly, o'r diwedd, roedd ymdrechion H.R. Jones yn dechrau dwyn ffrwyth. Roedd nifer o bobl o'r blaen wedi dweud "Rhaid cael Plaid Genedlaethol" ond heb wneud dim. Heb hyd yn oed y weledigaeth hon i ddechrau, dygnu arni a wnaeth H.R. er hynny, gan weithio trwy gyfrwng y wasg a thrwy anfon gwahoddiadau at gylch ehangach fyth o gydnabod. Roedd yn dalentog o niwlog, ac yn benthyca'r rhan fwyaf o'i syniadau oddi wrth eraill. Cymerasai'r syniad o "fyddin" oddi wrth y Fonesig Mallt Williams; awgrym Alwyn Owen oedd ffurfio plaid; Saunders Lewis oedd yr un a osododd i lawr delerau ei sefydlu, ac eto, does gen i'r un amheuaeth na fuasai'r blaid wedi cychwyn, hyd yn oed yn y ffordd dawel a wnaeth ym 1924-25, heb frwdfrydedd ac ymroddiad H.R. Jones.

Yn sicr, ni fu cyhoeddusrwydd mawr ym Mhwllheli yn haf 1925. Ychydig o sylw a roes y wasg i'r cyfarfodydd. Oedd, roedd y Blaid yn bod yn yr ystyr fod iddi swyddogion, aelodau, a'i bod wedi cynnal cyfarfod cyhoeddus i hybu ei pholisïau, ond awgrymu y mae'r dystiolaeth am y misoedd a ddilynodd Pwllheli mai peth marw-anedig oedd y blaid, i bob golwg.

Doedd ond ychydig o aelodau, dim ymgyrch aelodaeth, a dim prês, ac yr oedd yn rhaid i'r aelodau ennill eu bywoliaeth. H.R. Jones oedd yr unig un a drefnai gyfarfodydd, er mawr ddrys-wch, weithiau, i'r siaradwyr yr hysbysebwyd eu bod yn annerch cyn iddynt dderbyn gwahoddiadau.

Rhaid sôn am un cyfarfod; cyfarfod cyhoeddus cyntaf Plaid Cymru yn Ne Cymru. Fe'i cynhaliwyd yng Nghapel Als, Llanelli, ar y Sadwrn cyntaf ym mis Chwefror 1926. O'r tri siaradwr a wahoddwyd yno, ni fedrai Saunders Lewis fod yn bresennol, ni dderbyniodd Ben Bowen Thomas y gwahoddiad tan ar ôl y cyfarfod, ac felly dyna lle'r oedd D.J. Williams, Abergwaun —yr unig siaradwr, ac er mor ddiymhongar ydoedd, fe hoffai fedru brolio'n ddistaw mai ef fu'r siaradwr cyhoeddus cyntaf dros Blaid Cymru yn Ne a Gogledd Cymru.

Aeddfedu'r oedd y cynlluniau, er hynny. Cyfetholodd y Pwyllgor Gwaith aelodau ychwanegol ym 1926 —Ben Bowen Thomas, Prosser Rhys, Iorwerth Peate, Miss Mai Roberts, Kate Roberts a J. Dyfnallt Owen. Cyfarfu'r Pwyllgor yn Aber-ystwyth dros y Flwyddyn Newydd a'r Pasg, ac mae'n rhaid mai

yn y cyfarfodydd hyn y gwnaed cynlluniau i gychwyn cyfnod-
olyn i'r blaid. Mae llythyrau cyntaf H.R. yn cyfeirio at hyn yn
unig fel 'y misolyn', ac ymddengys mai Meuryn, yn gynnar ym
1926 a awgrymodd y teitl "Y Ddraig Goch". Treuliwyd mis-
oedd yn datrys y gwahnol broblemau —cyllid, argraffu, golygu,
cyfraniadau. Yn y cyfamser, roedd yr wythnosolion Cymraeg
yn barod i gyhoeddi defnydd y Blaid, ac yr oedd gan dri
golygydd gysylltiad agos â'r blaid —Meuryn, Prosser Rhys, (*Y
Faner*) a Dyfnallt Owen (*Y Darian*), yr olaf o bapurau Cymraeg
De Cymru.

Ni lwyddais i ail-greu yn fanwl holl hanes sefydlu'r papur,
ond yn amlwg, roedd Prosser Rhys yn ffigwr allweddol, er nad
ymddangosodd ei enw erioed yn y papur. Ef a drefnodd i
argraffu'r rhifynnau cynnar, ac yn nes ymlaen, daeth yn gyfrifol
am lawer o'r gwaith cyllid a dosbarthu.

Roedd yr olygyddiaeth yn broblem, ac nid peth hawdd, o
edrych yn ôl, yw bod yn sicr pwy oedd y golygydd cyntaf hyd
yn oed. Yn ôl H.R. Jones, yn ysgrifennu ym 1927, golygodd
Ambrose Bebb y tri rhifyn cyntaf, ac fe'i dilynwyd wedyn gan
Prosser Rhys a Saunders Lewis. Mynegodd o leiaf un o'r
aelodau cynharaf, Moses Griffith, wrthwynebiad ffyrnig i safle
Bebb, yn dilyn erthygl a ysgrifenasai Bebb i'r *Llenor* yn 1925,
lle'r amlygodd gydymdeimlad cryf â'r symudiad Ffrengig aden
dde eithafol, *L'Action Française*. A barnu oddi wrth yr
ohebiaeth, rhaid bod H.R. Jones wedi ymgymryd â llawer o'r
gwaith golygyddol ei hun.

Goresgynwyd y problemau o'r diwedd pan ymddangosodd
rhifyn cyntaf *Y Ddraig Goch* ym Mehefin 1926. Costiai ddwy
geiniog, roedd iddo chwe thudalen, ac argraffwyd 2,500 o
gopiau. Daeth yr argraffwyr i ben eu defnydd hanner ffordd
trwy dudalen chwech, a gadawyd y gweddill yn wag, yn lle'i
defnyddio i roi hysbyseb rhad ac am ddim i'r blaid. Roedd yn y
rhifyn erthyglau gan Ambrose Bebb, Saunders Lewis a Iorwerth
Peate, cerdd gan Dyfnallt, a rhywfaint o newyddion y blaid.
Erthygl Saunders Lewis sy'n sefyll allan o blith y tair, er eu bod
oll yn rhyfeddol o ffres o'u cymharu â'r rhan fwyaf o newydd-
iaduraeth wleidyddol hanner cant oed. Dadl Saunders Lewis
oedd nad bodoli yn unig er mwyn yr iaith Gymraeg a wnâi'r

blaid:

Oblegid er mwyn dyn y mae iaith yn bod. Dyn sydd gyntaf, a saern-
iodd iddo iaith er ei fudd ei hun. A'r rheswm dros amddiffyn yr iaith
yw ein bod ni'n gofalu'n bennaf am les y dyn cyffredin sy'n bwrw'i oes
yn y rhan hon o'r byd. Amcan gwleidyddiaeth yw ymgeleddu bywyd
dyn. Amcan y Blaid Genedlaethol yw —nid cadw'r Gymraeg fel ffetish
yng Nghymru —ond ei gwneud hi'n bosib i bob Cymro fyw bywyd
llawn, gwaraidd, dedwydd, cain.

I ymgyrraedd at hyn, dadleuai, dylai fod gan bawb ran ym
mywyd y genedl —y bywyd ysbrydol, deallusol ac economaidd.
Ei freuddwyd ef oedd cymdeithas o "gyfalafwyr bychain", lle
byddai pawb yn gweithio er lles y gymdeithas a'i les ei hun yr
un pryd. Ni fedrai gweision cyflog heb gyfalaf, heb fuddsodd-
iad mewn cymdeithas, fod ag unrhyw deimlad o ymrwymiad,
tra tueddai cystadleuaeth y farchnad rydd i ostwng nifer y
cyfalafwyr i rif llai a llai o wŷr gor-gyfoethog. Yn y modd
proffwydol hwn y dechreuodd Saunders Lewis ar hanner canrif
o newyddiaduraeth a phamffledu gwleidyddol yn Gymraeg, yn
y cyfnodolyn gwleidyddol cyntaf i'w gyhoeddi yn yr iaith
Gymraeg.

Cyhoeddi'r papur oedd cam sylweddol cyntaf y blaid. Roedd
ei ymddangosiad bob mis yn brawf o fodolaeth y blaid i'w
haelodau ar wasgar. Yr ail brif gam oedd trefnu'r Ysgol Haf
gyntaf. Aberystwyth a ddewiswyd fel man cyfarfod, ond doedd
dim adeilad addas ar gael, felly dewiswyd Machynlleth yn ei lle,
oherwydd ei bod yn ganolog, ac oherwydd y cysylltiadau ag
Owain Glyndŵr.

Yr oedd yn Ysgol Haf uchelgeisiol. Parhaodd o nos Lun,
Awst 23ain, 1926, tan y bore Sadwrn canlynol. Cynhaliwyd y
cyfarfodydd yn Senedd-dŷ Owain Glyndŵr, a dywed yr aelodau
oedd yn bresennol —rhyw drigain ohonynt —iddynt fwynhau eu
hunain yn arw. Roedd yna gyfarfodydd yn y bore a chyda'r
nos, a chyngerdd —colled ariannol oedd hwnnw. Nid aelodau
o'r blaid oedd yr holl siaradwyr o bell ffordd; yn eu plith,
roedd William George, brawd Lloyd George; T.P. Ellis, Rhys
Hopkin Morris, A.S. Ceredigion ar y pryd, E.T. John, a Kevin
O'Sheil, Dirprwy Fine Gael o'r Dáil Wyddelig. Roedd ym
mwriad H.R. Jones i wahodd De Valera yn ogystal, ond
gwrthododd Saunders Lewis y syniad hwn yn bendant; roedd

wedi cyfarfod De Valera, ac ni hoffai ei syniadau, a sut bynnag, buasai ei wahodd yn anghwrtais i O'Sheil. Rhai o'r pynciau y cafwyd darlithoedd arnynt oedd Cyfundrefn Addysg Cymru, y Llysoedd Barn, Pwerau Cynghorau Lleol, Cyllid Cymru, a Phropaganda'r Blaid. Yr anerchiad pwysicaf, fodd bynnag, oedd un Saunders Lewis yn y cyfarfod agoriadol ar "Egwyddorion Cenedlaetholdeb" a gyhoeddwyd yn ddiweddarach fel pamffledyn cyntaf y Blaid.

Rhaid i ni oedi i ystyried y ddogfen eithriadol hon, a cheisio dyfalu'r effaith a gafodd ar ei chynulleidfa wreiddiol. Nid rhethreg niwlog Lloyd George mewn Eisteddfod mo hyn; dyma angerdd llym meddwl effro a bywiog. Cychwyn gyda gwrtheb a wnaeth yr awdur —ar Genedlaetholdeb yr oedd y bai am bicil Cymru gyfoes, cenedlaetholdeb gwladwriaethau Ewrop, gyda'u pwyslais ar undod a chryfder ar draul diwylliannau lleiafrifol. Yn ei hanfod, cenedlaetholdeb diwylliannol yn hytrach nag annibyniaeth wleidyddol y dymunai ef i'r blaid newydd fabwysiadu —awgrymodd y gallai annibyniaeth wleidyddol arain at drais a gormes. Rhaid ceisio rhyddid a chyfrifoldeb — cyfrifoldeb dros ddiwylliant Cymru, rhyddid i ymuno â Chynghrair y Cenhedloedd a chymuned cenhedloedd Ewrop. Mae'r pamffledyn yn ddarn syfrdanol o feddwl hanesyddol a phroffwydol, a hwnnw wedi ei fynegi mewn rhyddiaith rymus, baradocsaidd yn aml.

Roedd gallu Saunders Lewis mor rhyfeddol fel y tueddwyd i anwybyddu diffygion anochel y ddadl, yn enwedig diffyg unrhyw raglen bendant ar gyfer ennill rhyddid a chyfrifoldeb. Cyhoeddodd Lewis Valentine ei ymddiswyddiad fel llywydd y Blaid, ac etholwyd Saunders Lewis yn ei le, i swydd lle medrodd ddylanwadu mwy nag y sylweddolodd ar Gymru fodern, er i raddau llai nag y gobeithiodd ef ei hun.

Gwnaed penderfyniadau pwysig eraill yn Ysgol Haf Machynlleth. Penderfynwyd penodi H.R. Jones yn Drefnydd y Blaid, swydd amser-llawn ar gyflog o £300 y flwyddyn. Byddid yn agor swyddfa yn Aberystwyth. Ffurfiwyd y Cylch Merched, gyda Kate Roberts yn llywydd. Eisoes, cynhwysai'r grŵp bychan o swyddogion ac aelodau'r pwyllgor rai a ddeuai, ymhen amser, yn llenorion Cymraeg praffaf eu cenhedlaeth ac yr oedd natur y Blaid fel mudiad iaith a diwylliannol yn amlwg.

Ond nid yn amlwg i bawb, fodd bynnag. Byr fyddai cyfnod diniweidrwydd gwleidyddol y mudiad bychan. Ei anwybyddu yn bennaf a wnaeth y wasg ddyddiol, ond yn ystod 1926, dechreuodd y cylchgrawn *Welsh Outlook* ymosod yn fwyfwy ffyrnig ar y Blaid. Ym Mawrth, awgrymasai nad oedd diben i'r Blaid, gan fod brwydrau'r bedwaredd ganrif ar bymtheg eisoes wedi eu hennill. Ym mis Awst, creodd y math o ddelwedd gosod ffiniau/trwyddedau teithio/gwrth-Seisnig o'r blaid a fu'n bastwn hwylus yn nwylo beirniaid di-ddeall byth ers hynny. Ym mis Tachwedd, tyfodd yr ymosodiad yn fwy hysteraidd:

> We have often, in these columns, denounced the old-fashioned nationalism (the nationalism of Ireland, for example) as the chief disturber of the peace of the world, a hundred times more pernicious than Emperors and War Lords.

Bu'n hawdd yn wastad i feirniaid gysylltu cenedlaetholdeb Cymreig ag unrhyw fath o genedlaetholdeb a all ddigwydd bod yn niweidiol: yn nes ymlaen, disodlwyd arf cenedlaetholdeb Gwyddelig gan arf Natsïaeth. Ni welodd y math hwn o feirniad erioed y gwahaniaeth rhwng gwlad fechan yn ceisio'i rheoli ei hun a gwlad fawr yn ceisio rheoli eraill.

Felly, roedd bodolaeth y Blaid newydd eisoes yn dechrau cydymffurfio â'r patrwm sy'n gyfarwydd i bawb o aelodau cyn-1966 – *Y Ddraig Goch*, Ysgolion Haf, brwdfrydedd diwylliannol, diniweidrwydd gwleidyddol, a beirniadaeth gibddall. Daeth nodweddion cyfarwydd eraill i'r amlwg yn fuan. Yn rhifyn Medi 1926 o'r *Ddraig Goch*, cafwyd arolwg optimistaidd o gyllid y Blaid, ac apeliwyd ar i'r aelodau gyfrannu cyflog wythnos tuag at yr achos. Ond yr oedd yr arweinwyr, fodd bynnag, yn barnu eraill yn ôl eu safonau eu hunain o haelioni, ac yn araf y daeth yr arian. Yn ffodus, ni chychwynnodd H.R. ar ei waith yn syth, ond erbyn mis Ionawr 1927, roedd diniweidrwydd cyllidol y Blaid yn amlwg. Cyhoeddodd y papur fantolen (yr unig dro i hyn ddigwydd, hyd y gwn i) yn dangos derbyniadau o £335. £6 yn unig oedd ar ôl. Llyncwyd £300 gan hoffter H.R. o argraffu posteri a phenawdau llythyrau, a threfnu cyfarfod-ydd. Talai'r *Ddraig Goch* ei ffordd, ond yn awr, daeth yn byrd talu cyflog H.R., a rhent y swyddfa yn Aberystwyth.

Ni fu H.R. yn segur yn y cyfamser. Ym Machynlleth, doedd ganddo ond un gangen i adrodd amdani, yn Rhyd-ddu. Ym mis Hydref 1926, cychwynnwyd cangen Llundain, a fyddai'n dylanwadu'n gryf ar ddatblygiad y Blaid. Cychwynnwyd canghennau eraill ym Mangor, Pandy Tudur, Talysarn, Abercwmboi a Rhydycymerau. Ym mis Tachwedd 1926, cefnogodd y Blaid ymgeisydd mewn etholiad lleol am y tro cyntaf, ym mhentref Llandderfel. Safodd ffermwr o'r enw Charles Lloyd Jones, aelod o'r Blaid, yn erbyn ei landlord, y Tori, ac yn erbyn Rhyddfrydwr. Y landlord enillodd, ond trydydd gwael oedd y Rhyddfrydwr, a pharodd y canlyniad hwn gryn bleser i arweinwyr y Blaid ar y pryd. Roedd Saunders Lewis wedi pwysleisio o'r cychwyn bwysigrwydd rheoli llywodraeth leol, a bu methiant y blaid ar y lefel hon am lawer blwyddyn yn ffactor bwysig yn ei diffyg llwyddiant etholiadol.

Ar ddechrau 1927, er hynny, edrychai pethau'n bur ddu. Gwaethygodd diciâu H.R., ac ym mis Mawrth, gadawodd Gymru i aros ger Môr y Canoldir. Ond ni fedrai H.R. ddioddef diogi ar wyliau, a buan y dychwelodd i ddal ati cystal ag y medrai. Yn rhifyn Ebrill o'r *Ddraig Goch*, roedd apêl daer gan Saunders Lewis am arian; byddai'n rhaid cau swyddfa Aberystwyth, diswyddo'r trefnydd a rhoi'r gorau i gyhoeddi'r papur oni ddeuai arian o rywle. Gallasai hyn fod wedi llad y mudiad. Cwtogodd y Pwyllgor Gwaith gyflog H.R. i £200 y flwyddyn ar ei gais ei hun, a phenderfynu parhau â'i swydd ac i gyhoeddi'r papur tan fis Awst, ac adolygu'r sefyllfa'r adeg honno.

Daeth ateb i apêl mis Ebrill fodd bynnag, oddi wrth ddau aelodau, a hynny achubodd y Blaid. Rhoddodd Lewis Williams o Nelson, oedd dros ei bedwar ugain, £50, a chafwyd £100 gan y Fonesig Mallt Williams. Mae'n werth oedi rhywfaint gyda hi. Fe'i ganwyd ym 1867, Alice Maitland Langland Williams, merch meddyg o Sir Frycheiniog, a daeth dan ddylanwad Arglwyddes Llanofer. Ymunodd ag Urdd y Delyn, a sefydlwyd gan Owen M. Edwards ym 1896, a bu'n ysgrifennydd Undeb y Ddraig Goch ym 1903, ac ar dudalennau *Cymru'r Plant* o 1911, rhedodd grŵp o'r enw *Ysbiwyr y Frenhines ym Myddin Cymru*, a oedd wedi ymrwymo i wasanaethu Cymru â chalon, meddwl, tafod a dwylo. Symudai rhwng Llandudoch,

Aberteifi a gwesty yn Nulyn. Mae ei llythyrau, wedi'u hysg-
rifennu ar ddalennau bychain o bapur mewn llawysgrifen en-
fawr, ac yn ei Chymraeg arbennig ei hun, yn dadlennu cenedl-
aetholdeb gwrth-ymerodrol tanbaid. Roedd "SIARADWCH
CYMRAEG" wedi ei argraffu ar ei hamlenni —gan anwybyddu'r
treiglad meddal. Cydymdeimlai'n gryf â dechreuadau cenedl-
aetholdeb yn yr India. Hi dalodd am daith H.R. i adfer ei
iechyd; a'r siec o £100 oedd y gyntaf mewn cyfres a anfonwyd
yn flynyddol, hyd y gwn i, tan ei marwolaeth ym 1945. Yn
ychwanegol, prynai gan copi o'r *Ddraig Goch* bob mis, a'u
dosbarthu am ddim. Ymddengys mai cymryd y teitl 'Y
Fonesig' Mallt Williams a wnaeth, heb unrhyw hawl, ond yn
sicr, mae'n haeddu teyrnged y Blaid y gwarantwyd ei dyfodol
ganddi ar adeg mor dyngedfennol.

Yn rhifyn Ebrill 1927, o'r *Ddraig Goch*, cafwyd newyddion
ariannol drwg y Blaid, ond roedd yno hefyd rywbeth pendant —
erthygl ar agweddau economaidd hunan-lywodraeth Gymreig
gan D.J. Davies. Yma, eto, dyma gymeriad arbennig. Fe'i
ganwyd ym 1893 ac ymfudodd i'r America wedi cyfnod fel
glöwr yng Nghymru. Gweithiodd fel paffiwr proffesiynol a
mwyngloddiwr ar antur, gyda chyfnod yn Llynges yr Unol
Daleithiau adeg y Rhyfel. Pan ddychwelodd i Gymru wedi'r
Rhyfel, ymunodd â'r Blaid Lafur a gweithio'n egnïol drosti yng
Nghaerfyrddin, ei sir enedigol. Ym 1924, ymwelodd â
Denmarc, a newidiwyd ei holl athroniaeth gan ei brofiadau yno,
yn enwedig ei brofiad o Ysgolion Gwerin Uwchradd Denmarc.
Daeth i gredu mewn cydweithrediad amrywiaethol yn hytrach
na sosialaeth ganoledig. Dros nos, heb wybod dim am H.R.
Jones na Saunders Lewis, daeth yn genedlaetholwr, gan
ddadlau wrth ei ffrindiau na ellid cael rhyng-genedlaetholdeb
heb genhedloedd, a heb reolaeth dros y famwlad. Wedi
dychwelyd o Ddenmarc, cafodd le yng Ngholeg y Brifysgol yn
Aberystwyth ym 1925, yr un flwyddyn ag y priododd
Wyddeles, Noelle Ffrench, a oedd yr un mor frwd ag ef dros
Ddenmarc a delfrydau Danaidd, ac a ddaeth yn gyfaill mawr i
Gymru.

Yn ei erthygl ym mis Ebrill 1927, y gyntaf mewn cyfres
cynigiodd Davies statws Dominiwn fel nod cenedlaetholdeb

Cymreig —ar yr oedd hynny ynddo'i hun yn gyfraniad pwysig i bolisi'r blaid. Trafododd y problemau ariannol a fyddai'n wynebu llywodraeth Gymreig yn fanylach nag y medrai nemor unrhyw un arall yn y Blaid. Yn sydyn, dyma Blaid Cymru wedi cael economegydd, gwrthbwynt gwerthfawr i'r duedd hanesyddol a llenyddol a oedd yn naturiol i rai o arweinyddiol y Blaid.

Yn ei erthyglau, dadleuodd D.J. Davies na fyddai datganoli, a dim mwy, o werth o gwbl i Gymru, gan na fyddai llywodraeth Gymreig ar batrwm Ulster byth yn feistr yn ei thŷ ei hun, ond dan reolaeth Llundain yn wastad. Doedd ganddo ddim i'w ddweud wrth y syniad o ddollau Cymreig, gan eu bod "yn groes i holl dueddiadau economaidd y byd modern." Ymdriniodd â chyfres o bynciau —trethu, buddsoddi, gwladoli glo a thir a chludiant. Ei gasgliad ef oedd y ffynnai diwylliant ac economeg Cymru dan y math o lywodraeth a ragwelid ganddo.

Ym mis Awst 1927, cynhaliwyd ail ysgol haf y Blaid, yn Llangollen. Cafwyd rhaglen uchelgeisiol unwaith eto, ac adolygwyd pynciau megis Cyllid Cymru, Dulliau Llywodraethol Cymreig, Addysg a threfnu etholiadau seneddol. Ymhlith y darlithwyr yr oedd y Prifathro Emrys Evans o Fangor (ond byr fu ei gyfeillgarwch ef tuag at y Blaid), Ben Bowen Thomas a D.J. Williams.

Cynnyrch mwyaf diddorol yr ysgol haf oedd adroddiad H.R. Jones ar weithgaredd y flwyddyn. Medrai ddweud yn awr fod 19 o ganghennau gyda saith yn Sir Gaernarfon a phedair ym Morgannwg. Yr oedd 424 o aelodau, a chynigiodd ddadansoddiad o'u gwaith; roeddynt yn cynnwys deg a thrigain o fyfyrwyr, pump a thrigain o chwarelwyr, hanner cant o ffermwyr a phum gweinidog ar hugain. Cynhaliwyd deg a thrigain o gyfarfodydd cyhoeddus, ond 'ddywedwyd dim am y trefniadau gwallgof y bu'n rhaid i rai siaradwyr eu dioddef. Sefydlodd y Pwyllgor Gwaith Gronfa Mil o Bunnoedd i godi arian, wedi ei threfnu gan Miss Mai Roberts. Penderfynodd yr Ysgol Haf mai egwyddorion cydweithredol a ddylai reoli polisïau economaidd y Blaid, ac y dylai'r Blaid ymladd dwy sedd yn yr Etholiad Cyffredinol nesaf. I'r perwyl hwn, enwebwyd y Parch. Lewis Valentine yn ymgeisydd dros etholaeth Arfon ym mis Ionawr 1928, a chyhoeddodd ysgrif olygyddol yn y *Ddraig Goch* yr angen am ymgeisydd am sedd Prifysgol Cymru.

Yna, yn haf 1928, daeth is-etholiad sydyn yn Sir Gaerfyrddin pan ddyrchafwyd Syr Alfred Mond i Dŷ'r Arglwyddi. Doedd gan Blaid Cymru ddim ymgeisydd yn barod a dim cyllid, ond penderfynwyd ymyrryd yn negyddol. Cynhaliwyd cyfres o gyfarfodydd yn yr etholaeth, gyda'r bwriad o berswadio pleidleiswyr i ddangos eu diffyg hyder yn y pleidiau Seisnig trwy gadw draw o'r etholiad. Gosodwyd miloedd o bosteri i fyny, a dosbarthwyd miloedd o bamffledi. Pan gyhoeddwyd y canlyniad ar Fehefin 28ain, roedd nifer y pleidleiswyr yn llai o chwe mil na ffigwr 1924; rhoddwyd y bai ar hyn gan eraill ar y tywydd, y ffaith i'r etholiad ddod yn hwyr ym mywyd y senedd, yn ogystal ag ar ddiffyg personoliaeth yr ymgeisydd Rhyddfrydol llwyddiannus a'i ragflaenydd.

Ar wahân i'r ymgyrch hon, ac Ysgol Haf Llandeilo, blwyddyn dawel ar y cyfan fu 1928. Cynhyrfwyd rhywfaint ar y dyfroedd pan enillodd y Parch. Fred Jones, un o'r sylfaenwyr, sedd ar Gyngor Sir Ceredigion dros bentref Talybont, ac yntau newydd symud yno o'r Rhondda. Tua diwedd y flwyddyn, cynhaliodd nifer o'r aelodau gyfres o gyfarfodydd yn Y Rhondda; yr aelodau oedd Kate Roberts, a oedd yn dysgu yn Aberdâr ar y pryd, Thomas Parry, a ddarlithiai yng Nghaerdydd, Cassie Davies, yn Y Barri yr adeg honno, a Kitchener Davies, y bardd a'r gweinidog, a fu'n brif ffigwr y Blaid yn Y Rhondda am lawer blwyddyn wedyn.

Yn ystod 1928, symudodd Swyddfa'r Blaid i 20 Rhodfa'r Gogledd, Aberystwyth. Roedd cynhyrchu'r *Ddraig Goch* bob mis yn straen barhaol ar y dyrnaid oedd yn barod i weithio i'r eithaf dros y Blaid. Roedd y rhaglen cyfarfodydd cyhoeddus hefyd yn faich —yn ôl adroddiad H.R. yn Llandeilo, cynhaliwyd 180 yn ystod 1927-28. Roedd iechyd H.R. yn dirywio, ond roedd wedi ymgyrchu'n llwyddiannus i ail enwi ei bentref genedigol, Ebenezer, a elwir yn awr yn Deiniolen, diolch iddo ef.

Y flwyddyn ganlynol oedd blwyddyn ymgyrch olaf H.R., sef etholiad Caernarfon. Nid yw hwn yn rhan o'm maes llafur i, ond hoffwn neidio i 1930 wrth derfynu'r cyfraniad hwn. 'Dyw pethau ddim yn edrych yn dda. 609 o bleidleisiau a

gawsai'r Blaid yn ei hetholiad seneddol cyntaf, a hynny ar ôl i
H.R., gyda'r optimistiaeth a fu'n nodweddu'r Blaid ers
blynyddoedd, gyhoeddi ei fod yn disgwyl miloedd. Roedd y
Blaid mewn dyled, ac arni £168 i'r banc —swm rhyfedd o isel, a
dweud y gwir, o ystyried i'r Blaid fod yn rhedeg trefnydd
proffesiynol, dwy swyddfa, papur misol ac ymgyrch etholiadol.
Ond er hynny, fe ddeuai baich dyledion yn nodwedd gyfarwydd
o fywyd y Blaid o hynny hyd y dydd heddiw.

Mae'n rhaid fod rhagolygon y Blaid am y dyfodol yn edrych
yn gymysg iawn. Ychydig o bleidleisiau, ychydig o aelodau,
dyledion; ar y llaw arall, yr oedd y Blaid wedi parhau am bum
mlynedd. Bu ganddi gylchgrawn misol ers pum mlynedd, a hi
oedd y blaid wleidyddol annibynnol Gymreig gyntaf; fawr o
blaid, hwyrach, a heb fod yn or-wleidyddol, ond yn annibyn-
nol iawn ac yn Gymreig iawn.

Bu H.R. Jones, y gŵr a wnaethai fwy na neb i ddwyn Plaid
Cymru i fodolaeth, farw ar Fehefin 17eg, 1930. Bu'n edrych ac
yn swnio fel gŵr gwael ers blynyddoedd, a gwyddai na châi fyw
yn hir. Ymddengys fod gwybod hyn wedi ei yrru i weithio hyd
eithaf ei allu. Mae Gwilym R. Jones, yn ysgrifennu yn *Y Ddraig
Goch*, yn cofio un noson yn ystod etholiad Caernarfon pan
gafodd H.R. air gydag ef i gyfaddef ei fod wedi camgyfeirio
1,500 o amlenni, ac yn ofni y dywedai pobl fod y gwaith yn
mynd yn ormod iddo bellach. Ar achlysur arall, dywedasai
wrth Gwilym R. Jones, "Fedrwn ni ddim deffro cenedl fu'n
cysgu cyhyd heb aberthu mwy. Mae'n rhaid i ni ddioddef,
mae'n rhaid i ni dywallt ein gwaed. Mae'r mudiad yn rhy ddof,
a ninnau'n rhy lwfr."

Hyd yn oed wedi sefydlu'r Blaid, daliasai H.R. i freuddwydio
am sefydlu mudiadau newydd. Rywbryd ar ôl 1926, roedd yn
ysgrifennu Rhifyn Un, Cyfrol Un, *Yr Amddiffynwr*, "Organ
Mudiad Amddiffynwyr Cymru". Mae hwn ar gael ymhlith
papurau Plaid Cymru, ynghŷd â chyfeiriad ym 1927 at sefydlu
Gwylwyr Cymru, math o fudiad Sgowtiaid Cymraeg, mae'n
amlwg.

'Doedd y 609 pleidlais yn etholiad Caernarfon heb lethu
ysbryd H.R., er y gellid ofni hynny. Yn *Y Ddraig Goch* yn syth
ar ôl yr etholiad, yn un o'r erthyglau prin a arwyddwyd ganddo,

Rhai o ddigrifluniau dihafal
R.L.Huws (a ddyfeisiodd y
Triban) yn Y Ddraig Goch:

SAUNDERS LEWIS

W.AMBROSE BEBB

J.E.DANIEL

J.E.JONES

ysgrifennodd:

> Y mae'n werth byw yng Nghymru heddiw, ond yn werth mwy bod yn fyw i Gymru. Chwe chant a naw yn mynwesu y ffydd Genedlaethol yn Sir Gaernarfon! Chwe chant a naw wedi codi baner Cymru rhagddi i dir ei haddewid, a daw Arthur ei hun, wedi dadebru o'i hirgwsg wrth droed yr Elidir, i arwain ei bobl i dir rhyddid.

Ymhen deuddeng mis, rhoddwyd taw ar yr optimistiaeth ddiflino. Doedd H.R. ddim yn "ŵr mawr" mewn unrhyw ffordd amlwg. Anaml y siaradai'n gyhoeddus; unwaith yn unig y cofiai Lewis Valentine ef yn siarad, yn Nhrefriw, ar genedlaetholdeb Wyddelig. Nid oedd yn feddyliwr nac yn ysgrifennwr mawr, ac yn sicr, nid oedd yn drefnydd mawr. Eto, roedd yn H.R. ruddin gwir arwr. Roedd yn diffyg nodweddion uchod oll yn ei ddal yn ôl; roedd ei iechyd yn fregus ac aeth i'w fedd yn gynnar. Eto, roedd ganddo freuddwyd a glynodd ati. Yn ei ffordd ei hun, aberthodd bopeth dros Gymru. Pan fu farw, talodd arweinwyr y Blaid eu teyrngedau iddo, a chyda'r rhain y dof â'r ddarlith i ben.

Dyma'r hyn a ysgrifennodd Lewis Valentine:

> Trwyddo ef rhoddwyd cyfeiriad newydd sbon i'm bywyd, a phrin y bu i mi awr anniddorol na diflas wedyn, o leiaf, prin y cefais awr segur, canys nid oedd segurdod i neb a gydweithiai â H.R. Yn wir, prin y cefais hamdden i briodi ganddo, canys ymysg y gwifrau a ddarllenwyd wrth y bwrdd brecwast dydd fy mhriodas oedd un gan H.R. a'i gynnwys oedd, "Ewch i Lanfairtalhaiarn i annerch cyfarfod heno".

Cafwyd teyrnged iddo gan Saunders Lewis —y gyntaf yn y gyfres fawr honno o deyrngedau a dalod er anrhydedd i arwyr y Gymru gyfoes, ac sy'n haeddu cael eu casglu ynghyd:

> Gŵr â Chymru yn ei galon oedd H.R. Nid wyf yn tybio y gallai neb fyth ei charu hi'n burach na symlach, ei charu heb ofyn yn ôl ganddi, ei charu â'i holl galon. Ym mhethau'r byd, materion busnes, yr oedd megis plentyn. Yr oedd yn gwbl anghofus a difater am ei boced ei hun, am ei ddyfodol, a hyd yn oed am bob mater bara a chaws a swllt a phunt. Gwylltiai ei gydweithwyr yn aml wrtho am hynny; âi yntau yn ei flaen a'i gariad at Gymru fel lamp dan ei frôn, fel na allai na gwynt beirniadaeth na dwrdio cyfeillion oeri dim ar ei frwdfrydedd. Yr oedd yn ein plith ni fel un o seintiau'r oesoedd bore, a'i lygaid ar ddydd iachawdwriaeth Cymru.
>
> Ef oedd y puraf ohonom. Yr unig droeon y clywais ef yn beirniadu neb oedd pan gymerai rhai cenedlatholwyr swyddi yng Nghymru a rhwystrai iddynt weithio'n gyhoeddus dros y Blaid. Ni allai H.R. Jones ddeall neb ohonom yn rhoi gyrfa bersonol, gyrfa academaidd neu yrfa

busnes o flaen gwaith y Blaid. Iddo ef yr oedd bywyd yn syml iawn — cadw enaid a chorff ynghyd tra gellid, a gweithio dros genedlaetholdeb Cymru. Dywedir weithiau mewn beirniadaeth arnom ein bod yn Sinn Ffeinaid Cymreig. Er drwg ac er da, y mae'n bell oddi wrth fod yn wir amdanom. H.R. oedd yr unig un yn ein plith y gellid dychmygu am Michael Collins yn rhoi swydd iddo.

H.R. Jones a sylfaenodd y Blaid Genedlaethol Gymreig. Ef hefyd . . . a sefydlodd ac a gychwynnodd y Ddraig Goch. Ef yn fwy na neb arall a haedda'r clod am drefnu i ymladd etholiad seneddol Sir Gaernarfon ar ran y Blaid Genedlaethol. Dyma'r dair ffaith yn hanes bywyd byr H.R. Jones a rydd iddo le diogel yn hanes Cymru.

FFYNONELLAU

Ni fedrais wneud y gwaith ymchwil a fyddai'n angenrheidiol ar gyfer hanes trylwyr am ddechreuad Plaid Cymru. Ar gyfer hyn, byddai angen arolwg llawer manylach o'r Wasg Gymraeg nag y llwyddais i i'w wneud, a byddai angen cyfres faith o gyfweliadau gyda'r rhai oedd yn byw yn y cyfnod hwnnw. Mae'r ychydig gyfweliadau y llwyddais i'w cael yn dra gwerthfawr o safbwynt rhoi argraffiadau am gymeriad a thrafodaethau ar wahanol faterion, ond ni ellir dibynnu'n llwyr arnynt am ffeithiau, gan fod amser yn cael ei effaith ar y cof. Fodd bynnag, fy ngobaith yw fod y ffeithiau a'r argraffiadau yn y ddarlith hon mor fanwl gywir ag y medraf i eu rhoi. Defnyddiais y ffynonellau canlynol:

Gohebiaeth Plaid Cymru yn Llyfrgell Genedlaethol Cymru; Ffeiliau *Yr Herald Gymreig, Baner ac Amserau Cymru, Y Ddraig Goch* a'r *Western Mail* yn Llyfrgell Genedlaethol Cymru; *Tros Gymru: J.E. a'r Blaid*, J.E. Jones, Gwasg John Penry, 1970.

Mae yng nghyfrol atgofion J.E. Jones arolwg gwerthfawr o'r dylanwadau ffurfiannol ar y Blaid.

Hoffwn ddiolch i staff y Llyfrgell Genedlaethol am eu cymorth yn cyflwyno'r ffynonellau hyn i mi, gyda chaniatâd Plaid Cymru.

O. M. Roberts

ETHOLIAD CYFFREDINOL 1929

Penderfynwyd ymladd yr etholiad yma ar adeg argyfyngus iawn yn hanes Cymru. Gadawodd y Rhyfel Byd Cyntaf ei ôl yn drwm ar Gymru. Collodd miloedd o ddynion ifainc eu bywydau, ymfudodd dynion a merched o Gymru gan ei thlodi'n ddifrifol. Erbyn diwedd y dauddegau yr oedd y dirwasgiad creulon wedi effeithio'n enbyd ar y wlad gan adael tua 30 y cant o'r gweithwyr allan o waith.

Os du oedd y rhagolwg economaidd, duach oedd y rhagolygon cenedlaethol. Lleihau yr oedd y nifer a siaradai Gymraeg, ac yn waeth na dim, yr oedd mwyafrif y genedl yn rhyfeddol o daeog neu yn gwbl ddifater. Meddai golygydd y *Welsh Outlook* ar ôl etholiad cyffredinol 1924, "ni bu etholiad o fewn cof y rhoddwyd ynddi cyn lleied o sylw i faterion Cymreig".

Yn y cyfnod digalon yma yn hanes y genedl y sefydlwyd Plaid Genedlaethol Cymru ac, yn wir, yn ystod y cyfwng yma ym 1927 bu sôn am ymladd etholiadau seneddol yn Sir Gaernarfon, Sir Gaerfyrddin a sedd y brifysgol. Ym Mhwyllgor Gwaith y Blaid, 3 Ionawr 1928, ceir y cofnod yma: "Pasiwyd, os bydd hynny'n bosibl, i ymladd dwy sedd yn yr etholiad cyffredinol nesaf, sef Sir Gaernarfon a Sir Gaerfyrddin ond os digwydd etholiad cyffredinol yr haf nesaf fod y mater i'w ailystyried".

Yn bresennol yn y cyfarfod yma 'roedd Saunders Lewis, Moses Griffith, Dr Lloyd Owen, Kate Roberts, Dyfnallt Owen, D.J.Davies, Ambrose Bebb, Lewis Valentine, Prosser Rhys, Iorwerth Williams a H.R.Jones. Yr hyn sy'n rhyfedd yw nad oes sôn yn y cofnod yma eu bod wedi penderfynu gwahodd y Parch. Lewis Valentine i fod yn ymgeisydd yn Sir Gaernarfon er bod *Draig Goch* Chwefror yn cyhoeddi o dan 'Helynt y Blaid' i Bwyllgor Sir Gaernarfon o'r Blaid, 6 Ionawr, gymeradwyo dewis dyn y Pwyllgor Gwaith. Cyfarfod brwd oedd hwnnw a'r aelodau yn llawenhau oherwydd bod rhagolwg am frwydr yn Sir Gaernarfon. Cadeirydd y pwyllgor oedd y prifardd R.Williams

Parry.

I hyrwyddo gwaith y Blaid yn y sir yr oedd y Pwyllgor Sir wedi ffurfio dau is-bwyllgor, un i drefnu Dyffryn Conwy a'r llall i drefnu Llŷn ac Eifionydd. Cyfarfu'r naill ar 15 Ionawr a'r llall ar 21 Ionawr ac yn y ddau gyfarfod cadarnhawyd gwaith y Pwyllgor Sir yn penderfynu ymladd sedd Sir Gaernarfon a chymeradwyd y darpar ymgeisydd, y Parchedig Lewis Valentine. Yn rhifyn Mawrth o'r *Ddraig Goch* ceir hanes Mr Valentine yn annerch ei gyfarfod cyntaf fel darpar ymgeisydd yng Nghapel Curig ar y 3 Chwefror. Yn yr un rhifyn ceir erthygl gan y Parchedig J.P.Davies o dan y penawd "Val yng Ngholeg Bangor".

Oeraidd iawn oedd y derbyniad a gafodd y cyhoeddi gan y wasg yng Nghymru (Cymraeg a Saesneg). Ond yr oedd un eithriad sef *Y Genedl Gymreig*. Ysgrifennodd E.Morgan Humphreys: "Y mae'n amhosibl i unrhyw ddyn sydd yn teimlo fod cenedlaetholdeb a gwareiddiad Cymru yn bwysig a'n bod yn awr mewn cyfwng pwysig iawn yn hanes y genedl beidio cydymdeimlo â llawer o ddelfrydau a dyheadau y Blaid Genedlaethol. Y mae yn rhaid i Gymru ddysgu meddwl yn wleidyddol drosti ei hun a dysgu synio amdani ei hun fel cenedl fel y gwna'r Gwyddelod neu, dyweder, y Norwegiaid. Mewn gair ein hangen mawr ydyw hunan barch cenedlaethol". Llawenydd oedd darllen sylw o'r fath ynghanol y beirniadu ffôl a geid yn y wasg yn gyffredinol.

Ym Mhwyllgor Gwaith y Pasg 1928 ceir cofnod fod Saunders Lewis wedi cynnig pleidlais o ddiolch i Lewis Valentine am iddo dderbyn y gwahoddiad i fod yn ymgeisydd Plaid Cymru yn yr etholiad cyffredinol cyntaf a geid yn Sir Gaernarfon. Eiliwyd y bleidlais gan Dr Lloyd Owen, Cricieth. Yr aelodau eraill oedd yn bresennol oedd Moses Griffith, Prosser Rhys, Iorwerth Peate, D.J.Davies, Kate Roberts, Lewis Valentine a'r trefnydd H.R. Jones.

Bu'r Blaid yn ffodus dros ben yn ei dewis o'i hymgeisydd seneddol cyntaf. Gweinidog y Tabernacl, eglwys y Bedyddwyr yn Llandudno, oedd Mr Valentine ar y pryd. Meddai ar gymwysterau arbennig iawn i fod yn ymgeisydd derbyniol; personoliaeth ddeniadol, gwybodaeth eang, huodledd, ac yn fwy na dim, argyhoeddiad cadarn a gweledigaeth glir. Yn ei araith

gyntaf ar ôl ei ddewis yn ddarpar ymgeisydd pwysleisiodd fod y
Blaid Genedlaethol yn gosod Cymru yn gyntaf ac yn olaf ac mai
hi oedd yr unig blaid a wnâi hynny. Mynegodd nad âi i'r senedd
yn Westminster pe dewisid ef yn aelod.

Wedi i'r Pwyllgor Gwaith gadarnhau'r dewis o ymgeisydd aeth
Pwyllgor Sir Gaernarfon ati o ddifri i baratoi ar gyfer yr ethol-
iad. Swyddogion y pwyllgor oedd:

Cadeirydd: R.Williams Parry
Is-Gadeirydd: W.Ambrose Bebb
Trysorydd: W.J.Roberts
Ysgrifennydd: Nesta Roberts

Sefydlwyd is-bwyllgorau yn Arfon, Llŷn a Dyffryn Conwy.

Trefnodd yr is-bwyllgorau gyfarfodydd cyhoeddus ar hyd a
lled y sir ac âi Mr Valenine i bob un ohonynt bron yn ddi-feth.
Ar gefn moto-beic y teithiai; golygfa go anarferol oedd gweld
darpar ymgeisydd seneddol yn cyrraedd ar gefn hen *Triumph*,
wedi ei wisgo mewn dillad pwrpasol ar gyfer y tywydd mawr.
Câi dderbyniad croesawus ymhobman a gwnâi argraff dda ar ei
gynulleidfa. Mewn ambell i le deuai tyrfa go lew ond, yn an-
ffodus, bu raid iddo fodloni ar annerch dau neu dri amryw o
weithiau. Yn ystod yr ymgyrch teithiodd dros dair mil o filltir-
oedd ar gefn y moto-beic.

Cafodd y darpar ymgeisydd gefnogaeth a chynhorthwy gwŷr
amlwg yn y Blaid; W.Ambrose Bebb, J.E.Daniel, y Parchedigion
J.Eifl Hughes, J.P.Davies, Hawen Rees a H.R.Williams, Mri
Gwilym R.Jones, W.J.Davies ac amryw eraill. Ceid cyfarfodydd
llwyddiannus pan fyddai aelodau lleol yn trefnu ond, yn rhy aml
o lawer, cyrhaeddai siaradwyr fan arbennig a fawr neb yn
gwybod dim am y cyfarfod. Nid rhyfedd i Gwilym R.Jones ysg-
rifennu at H.R.Jones y trefnydd: "Paid â threfnu'n fyrbwyll da-
thi a rho ddigon o rybudd i'th dipyn siaradwyr pwy bynnag a
fônt".

W.Ambrose Bebb oedd llywydd Cangen Myfyrwyr Coleg y
Ggoledd, Bangor ac yn aml iawn âi â myfyrwyr gydag ef ar
deithiau i gefnogi ymgeisyddiaeth Mr Valenine. Hoffai Mr Bebb
siarad yn yr awyr agored. Cofiaf am un digwyddiad yn Nhre-
garth; cyrraedd yr ysgol ond neb yno i wrando. Mr Bebb yn
gofyn i'r prifathro am fenthyg cloch law ac yn anfon un o'r

myfyrwyr o gwmpas i ganu'r gloch ac eraill yn curo o ddrws i ddrws i annog pobl i ddod i'r cyfarfod. Pan ddaeth ychydig o bobl allan o'u tai neidiodd Mr Bebb i lan y wal a chyhoeddodd efengyl cenedlaetholdeb ar uchaf ei lais. Dyma fel y gorffennodd ei araith y noson honno: "Yr oedd y rhaglen yn un fawr ond yr oedd yn rhaglen onest wedi ei llunio gan ddynion gonest. Anelid at Gymru ddelfrydol a fyddai'n Gymru uniaith, Cymru fonheddig a Chymru a gyfrannai at ddatblygiad corfforol a moesol dynion."

Deuai H.R.Jones, y trefnydd cenedlaethol, i Sir Gernarfon o dro i dro yn ystod y flwyddyn cyn yr etholiad cyffredinol. Ar ôl un ymweliad ysgrifennodd at Saunders Lewis: "Credaf fy mod wedi cyfnewid pethau yn llwyr yn sir Gaernarfon yn ystod y pythefnos diwethaf! O fis Ionawr ymlaen rhof o leiaf ddwy wythnos lawn o bob mis yn y sir hyd at ddiwedd Mawrth". Breuddwydiwr ac optimist o'r radd flaenaf oedd H.R. Ond fel yr ysgrifennodd Saunders Lewis yn *Y Ddraig Goch* (Gorffennaf 1930): "Gŵr â Chymru yn ei galon oedd H.R.Jones, ef oedd y puraf ohonom".

Diddorol yw sylwi ar genadwri a anfonodd H.R. at Nesta Roberts, ysgrifennydd Pwyllgor Sir Gaernarfon. "Rhaid deffro pob cangen a sefydlu rhai newydd; rhaid ymweld â phob enw ar y rhestr etholwyr, rhaid cynnal cyfarfod cyhoeddus ymhob pentref drwy'r etholaeth yn ystod y gaeaf." Tasg ry anodd i'w chyflawni wrth gwrs, ond nodweddiadol o H.R.Jones.

Yn ystod misoedd olaf 1928 a misoedd cyntaf 1929 bu ymgyrchu ysbeidiol. Yn ystod gwyliau ysgol a choleg deuai Saunders Lewis, D.J.Williams, Cassie Davies ac eraill i annerch cyfarfodydd.

Ychydig fyddai'r nifer o wrandawyr a ddeuai i'r cyfarfodydd ac eithrio pan ymwelai Saunders Lewis â'r etholaeth. Y pryd hynny heidiai aelodau'r Blaid o bell ag agos, ac eraill i wrando ar ddatganiadau treiddgar llywydd y Blaid. Eglurai'n fanwl pam yr oedd yn rhaid i Gymru wrth ymreolaeth. Dyma un diffiniad: "Gan hynny, y mae'n rhaid wrth ymreolaeth, nid annibyniaeth. Nid hyd yn oed ryddid diamod ond llawn cymaint o ryddid ag a fo'n hanfodol i sefydlu a diogelu gwareiddiad yng Nghymru; a rhyddid yw hwnnw a fydd nid yn unig yn lles i Gymru ond hefyd yn fantais ac yn ddiogelwch i Loegr a phob gwlad arall a fo'n gymydog iddi."

Polisi'r Blaid o beidio ag anfon Mr Valentine i'r senedd ped etholid ef a roddai fwyaf o benbleth i'r etholwyr ac ymhob cyfarfod ceid cwestiwn ar y mater. Dyma fel yr atebodd Saunders Lewis y cwestiwn mewn un cyfarfod: "Cyff gwawd a fyddwn yn senedd Lloegr. Am hynny rhaid gwrthod mynd yno. Dyna'r ffordd y gorfydd ar Loegr a'r cyfandir wrando cri cenedl fechan am ryddid, ac y gorfydd ar Loegr maes o law i gytuno â ni ar fesur o ymreolaeth".

Er y cynhelid amryw o gyfarfodydd ac yr ymddangosai llythyrau yn y wasg yn cefnogi ymgeisyddiaeth Mr Valentine, go brin fod etholwyr Arfon at ei gilydd yn credu fod y Blaid Genedlaethol o ddifrif am ymladd y sedd yn yr etholiad cyffredinol. Yn wir mae'n amheus a oedd aelodau'r Blaid yn llwyr gredu hynny.

Ym mis Mawrth 1929 cyhoeddwyd y byddai etholiad cyffredinol yn fuan iawn. Galwyd cyfarfod o Bwyllgor Sir Gaernarfon o'r Blaid ar y 10fed o'r mis. Yn y cyfarfod hwnnw y sylweddolwyd yn llawn fwriad y Blaid i ymladd sedd Sir Gaernarfon. Cynigiodd Mr W.A.Bebb ac eiliodd Dr Lloyd Owen "Ein bod yn mabwysiadu Lewis Valentine fel ein hymgeisydd yn yr etholiad seneddol sydd ar ddyfod". Pasiwyd y penderfyniad yn unfrydol a derbyniwyd y gwahoddiad gan Mr Valentine. Llywydd y pwyllgor hwnnw oedd y Prifardd R.Williams Parry. Rhyfedd meddwl fod y gŵr swil hwn a gasâi bwyllgorau a chyfarfodydd cyhoeddus wedi bwrw i'r ymgyrch yn egnïol. Cadeiriai bob pwyllgor, symbylai weithgarwch ymhlith yr aelodau ac fel y poethai'r ymgyrch gwelwyd ef yn gweithio yn y swyddfa, yn rhannu dalennau ac yn cario siaradwyr i gyfarfodydd.

Wedi brwdfrydedd y pwyllgor mabwysiadu daeth yr ychydig weithwyr wyneb yn wyneb â threfnu etholiad cyffredinol am y tro cyntaf yn hanes y Blaid, yn wir yr etholiad cyntaf erioed i ymgeisydd ddatgan mai rhyddid Cymru ac ymreolaeth i Gymru oedd unig sail ei apêl at yr etholwyr. Nid oedd ball ar weithgarwch a brwdfrydedd y garfan fechan o weithwyr o dan arweiniad Mr Valentine. Fel y deuai dydd y pleidleisio yn nes cynhelid amryw o gyfarfodydd bob gyda'r nos a threuliai'r rhai na fyddent yn siarad yn gyhoeddus eu hamser yn canfasio a rhannu dalennau. Er na dderbyniai'r gweithwyr yr un ddimai goch at eu costau yr oedd costau ymladd yr etholiad yn ddychryn i'r trefnwyr. Rhaid oedd talu am neuaddau i gynnal cyfarfodydd, am bamffledi a phosteri a holl gostau cynefin etholiad. Nid oedd gwŷr ariannog yn perthyn i'r Blaid, ond trwy haelioni aelodau selog a'u gwaith yn casglu mân symiau gan berthnasau a ffrindiau, llwyddwyd i godi cronfa a'i galluogodd i ymladd yr etholiad.

Yn ychwanegol at yr arian angenrheidiol i gynnal yr ymgyrch o ddydd i ddydd rhaid oedd wrth £150 o ernes cyn y gellid enwebu'r ymgeisydd. Casglwyd yr arian yn fân symiau ac ar 20 Mai 1929 aeth Lewis Valentine â'r papur enwebu ynghyd â'r arian, yn bapurau punt a phapurau chweugain, i swyddfa'r Swyddog Etholiad yn neuadd y Cyngor Sir, Caernarfon. Aeth Robert Williams Parry gyda'r ymgeisydd i gyflwyno'r enwebiad a'r ernes.

Mae'r papur enwebu a gyflwynwyd i'r swyddog etholiad y diwrnod hwnnw yn un hanesyddol; papur enwebu'r ymgeisydd cyntaf erioed i sefyll etholiad yn enw Plaid Genedlaethol Cymru, papur enwebu a gychwynnodd gyfnod newydd yn hanes cenedl y Cymry. Dyma enwau'r deg sydd ar y ddogfen hanesyddol hon:

Cynnig: R.Williams Parry, Plwyf Bethesda
Eilio: J.P.Davies, Plwyf Llanberis
Ategu: H.R.Jones, Llanddeiniolen
          Benjamin Owen, Llanberis
          D.E.Williams, Plwyf Llandwrog
          E.Alwyn Owen, Plwyf Beddgelert
          Priscilla Roberts, Llanddeiniolen
          Nesta Roberts, Llanrug
          G.R.Jones, Plwyf Llanllyfni
          R.H.Jones, Plwyf Llanllyfni

Ni oedd amheuaeth bellach ynglŷn ag ymgyrch Plaid Genedlaethol Cymru.

Daeth yr amser i anfon anerchiad Mr Valentine i'r etholwyr; ychydig ddyddiau cyn eu hanfon allan sylweddolwyd fod tua deugain mil o'r amlenni wedi eu camgyfeirio. 'Roedd hynny'n drychineb; pa le y ceid amlenni yn lle y rhai a ddifethwyd a pha fodd y gellid cyfeirio a llenwi deugain mil o amlenni mewn byr amser? Daeth Mr R.T.Jones, ymgeisydd y Blaid Lafur yn Arfon, i'r adwy gyda'r amlenni; cyflenwodd angen y Blaid, ac yn wir, cynigiodd gymorth gyda'r cyfeirio. 'Roedd brawdgarwch yn bod y dwthwn hwnnw.

Er mwyn cwblhau'r gwaith o gyfeirio a llenwi'r amlenni llogwyd ystafell fawr yng Nghaffi Pendref, Caernarfon ac yno y bu gweithwyr dyfal wrthi ddydd a nos nes gorffen y gwaith. Deuai'r prif siaradwyr, Lewis Valentine, W.A.Bebb, J.E.Daniel ac ac eraill i'r swyddfa hon ar ôl annerch cyfarfodydd i gynorthwyo gyda'r cyfeirio. Ni fuasai'n syndod pe bai blinder a diflastod wedi goddiweddu'r gweithwyr dygn hyn. Ond fel arall y bu; ni bu gwmni mwy llawen a diddan erioed. Adroddwyd aml i stori ddifyr wrth gymryd seibiant i yfed cwpanaid o de. Gorffennwyd y gwaith mewn pryd ac fe aeth yr anerchiad i bob tŷ yn yr etholaeth.

Wedi sicrhau bod yr enwebu wedi ei gwblhau a'r anerchiad wedi ei hanfon i bob tŷ canolbwyntiwyd ar ganfasio a chynnal cyfarfodydd cyhoeddus. Yr oedd arweinwyr y Blaid o bob rhan o Gymru wedi ymgynnull i Sir Gaernarfon. Ceid cynulleidfaoedd sylweddol mewn ambell bentref ond rhai bychain iawn mewn lleoedd eraill. Difyr fyddai gwrando ar brofiadau'r ymgyrchwyr wedi iddynt ddychwelyd i'r swyddfa yng Nghaernarfon ar ddiwedd y dydd. Ambell un yn ffyddiog ac yn proffwydo miloedd o bleidleisiau i Valentine, un arall yn fwy o realydd yn bodloni ar ryw fil o bleidleisiau. Os oedd amrywiaeth barn am y canlyniad cyn belled ag yr oedd nifer y pleidleisiau yn y cwestiwn nid oedd amheuaeth ym meddwl neb am werth yr ymgyrch. Teimlai pawb a gymerodd ran yn yr ymgyrch eu bod wedi cychwyn cyfnod newydd yn hanes gwleidyddol Cymru. Yr oedd brwdfrydedd a llawenydd yn eu calonnau. A'r mwyaf llawen o'r cwbl oedd Lewis Valentine, yr arwr a fu ar flaen y gad trwy gydol y frwydr.

Daeth dydd y pleidleisio, 30 Mai 1929. Cyhoeddwyd y canlyniad o falconi'r Guild Hall y diwrnod wedyn:

Major Goronwy Owen (Rhyddfrydwr)	18,507
Mr R.T.Jones (Llafur)	14,867

Lewis Valentine

Anerchiad y Parch
Lewis Valentine yn
yr etholiad cyntaf
i'r Blaid ei hymladd,
Mai 1929.

ANERCHIAD Y PARCH. LEWIS VALENTINE
I ETHOLWYR SIR GAERNARFON.

Annwyl Gyd-Gymry a Chymraesau,

Yn ystod y misoedd diwethaf yr wyf fi a'm cymheiriaid wedi ymweld a phob cwr a phentref yn Sir Gaernarfon, fel nad yw fy neges i mwyach yn anhysbys i odid neb o etholwyr y Sir.

Yr wyf yn gofyn i chwi roddi eich pleidlais imi yn etholiad Sir Gaernarfon.

Er pan ddeddfwyd yn 1535 mai rhan o Loegr oedd Cymru ac nad oedd hi yn genedl ei hun, ni bu erioed ymgeisydd seneddol a'i gwnaeth yn unig amcan ganddo mewn etholiad ennill i Gymru hawliau a breintiau cenedl. Oblegid hynny, ni roddes na Senedd na Llywodraeth Loegr erioed sylw difrifol i anghenion Cymru.

MYFI YW'R YMGEISYDD SENEDDOL CYNTAF YN HOLL HANES CYMRU I GYMRYD RHYDDID CYMRU AC YMREOLAETH I GYMRU YN UNIG SAIL APEL MEWN ETHOLIAD SENEDDOL, Y MAE'R ETHOLIAD YN SIR GAERNARFON YN GYCHWYN I GYFNOD NEWYDD YN HANES POLITICAIDD CYMRU.

Bu llawer o arwyr gwleidyddol Cymru yn hiraethu am weld dydd ymreolaeth. Dyna freuddwyd Michael Jones y Bala, Gwilym Hiraethog, Thomas Gee, Emrys ap Iwan, ac eraill lawer. Ond ni chododd erioed o'r blaen BLAID GYMREIG i gyflawni dyheadau y gwlatgar. YN AWR Y MAE PLAID GYMREIG MEWN BOD. Cewch chwithau, etholwyr Sir Gaernarfon—hen gartref yr ysbryd annibynnol Cymreig—gyfle yn awr i gyflawni hen obeithion eich gwlad. Dyma gyfle i Sir Gaernarfon fod yn wynfydedig ymysg siroedd Cymru. Y gresyndod yw fy mod yn gorfod gwrthwynebu gwyr mor bybyr, canys mi glywais lawer om eu daioni a'u delfrydau, ond y mae gennyf fi bolisi pendant ac ymarferol i Gymru na'u polisi hwynt. Y mae gennyf bolisi pendant ac ymarferol i orfodi llywodraeth Loegr i ddwys-ystyried hawl Cymru i ymreolaeth.

DYMA FY ADDEWID : OS ETHOLWCH FI, Y BROBLEM GYNTAF A WYNEBA'R LLYWODRAETH NEWYDD AR OL YR ETHOLIAD CYFFREDINOL FYDD PROBLEM YMREOLAETH CYMRU.

Wele addewid na feiddia neb ymgeisydd arall yng Nghymru ei rhoi.

Crefaf arnoch yn hyderus. Os yw eich calonnau yn llosgi ynoch gan ddyhead am fyd gwell ar Gymro a Chymraes, am godi'ch gwlad i barch, os mynnwch chwi fod yn rhyddion ar eich tir eich hunain a thaflu oddiar Gymru ganrifoedd o ddirmyg a sarhad, os mynnwch chwi weld y Gymru hon yn ardd yr Arglwydd, a gweld gwirio gair y bardd am dani

Ynod bydd pob daioni,—hoff bau deg,
    A phob digoll dlysni ;
Pob gwybod a medr fedri ;
Aml fydd dy ddrud olud di.

OS DYMA DDYMUNIAD EICH CALON, YNA PLEIDLEISIWCH I MI YN YR ETHOLIAD HWN.

Yr eiddoch yn rhwymau Cymru,

LEWIS VALENTINE.

Mai, 1929.

Cyhoeddwyd gan H. R. Jones, Swyddfa'r Blaid Genedlaethol, Tower Buildings, Caernarfon, ac argraffwyd gan y " Cambrian News," Cyf., Aberystwyth.

Mr D.Fowden Jones (Tori)   4,669
Parchedig Lewis Valentine (Plaid Genedlaethol)   609

Cafodd Lewis Valentine groeso brwd gan y dyfra a wrandawai
ar y cyhoeddi.

Sut y teimlai aelodau'r Blaid Genedlaethol ar ôl clywed y can-
lyniad? "Gallant six hundred!" meddai'r Parchedig Fred Jones.
Siomiant oedd yng nghalon llawer un, ond yr un pryd sylwedd-
olid fod carfan fechan yn gweithio o dan anfanteision dybryd
wedi ysgrifennu pennod bwysig yn hanes Cymru.

Beth oedd gan yr ymgeisydd i'w ddweud tybed? "Y mae
amser a thragwyddoldeb o'n plaid", meddai wrth y dyrfa ger y
Guild Hall. Ac wrth ddarllenwyr *Y Ddraig Goch*, meddai: "Ni
fu brwydr odidocach erioed ac ni chafodd ymgeisydd erioed
well cefnogaeth a chynorthwywyr. Mwynheais bob munud
ohoni a gwn na chynnig bywyd byth oriau hafal i oriau'r taro
cyntaf dros ryddid Cymru yn ein hoes ni". Ac wrth y chwe
chant a naw, meddai: "I chwi y chwe channwr a naw, dyma'm
llaw a'm calon. Credasoch i'm hymadrodd. Gwnaethoch y
fenter fwyaf a wnaeth neb yn hanes politicaidd ein gwlad ers
canrifoedd, canys ni ofynnodd neb erioed i chwi wneuthur peth
mor anodd o'r blaen. Gresyn na cheid eich enwau i'w cofio a'u
hanwylo yn oes oesoedd".

A beth tybed oedd gan H.R.Jones, trefnydd cyntaf Plaid
Genedlaethol Cymru, a chynrychiolydd Lewis Valentine yn yr
etholiad i'w ddweud? "Y mae'n werth byw yng Nghymru
heddiw, ond yn werth mwy bod yn fyw i Gymru. Chwe chant a
naw yn mynwesu y ffydd Genedlaethol yn Sir Gaernarfon;
chwe chant a naw wedi codi baner Cymru unwaith eto ar
lechweddau yr hen froydd annwyl, chwe chant a naw yn cyfeirio
golygon Cymru tua'r wawr. Nid ofnwn mwy y nos".

Yr oedd hi'n werth byw yng Nghymru y dwthwn hwnnw.

J.R.Roberts

CAMAU YMLAEN 1929-1936

Gellir edrych yn ôl ar y blynyddoedd hyn fel yr ail gyfnod yn hanes Plaid Cymru. 1925 i 1929 oedd blynyddoedd ei sefydlu, ac erbyn etholiad 1929 yr oedd yn ddigon abl i sefyll ar ei thraed. Rhoddodd ei throed i lawr ar ddaear gwleidyddiaeth Cymru. Yr oedd yr etholiad hwnnw yn drobwynt yn hanes gwleidyddiaeth Gymreig, ac ni bu etholiad wedyn heb ymgeis-ydd neu ymgeiswyr Plaid Cymru ar y maes. Dyma blaid ifanc a orfododd etholwyr Cymru i ystyried achos rhyddid eu cenedl fel y pennaf peth mewn gwleidyddiaeth, ac yn y man gorfodwyd y pleidiau eraill, a anwybyddodd anghenion Cymru cyhyd, i roi sylw iddi.

Ar ôl llwyddo i sefyll ar ei draed y peth nesaf a wna pob plentyn yw camu ymlaen, a dyna fu hanes Plaid Cymru rhwng 1929 ac 1936. Bu'r blynyddoedd hyn yn rhai caled ac anodd iawn i blaid ifanc yn dechrau tyfu. Dyddiau o ddirwasgiad economaidd enbyd a thlodi mawr oedd blynyddoedd cynnar y tridegau; yr oedd nifer y diwaith yng Nghymru yn 30% a bywyd yn anodd iawn i deuluoedd yn ardaloedd diwydiannol y de a'r gogledd. Erys y cof am y caledi hwnnw yn yr ardaloedd diwydiannol, a gwelir effeithiau ei greithiau hyd y dydd hwn. Yn yr ardal lle'r wyf yn byw yn awr clywaf y genhedlaeth hynaf yn cyfeirio yn aml at y dioddef a'r cyni a brofasant y dwthwn hwnnw. Dyma'r cyfnod pan gollodd Cymru gannoedd o'i phobl ieuainc ddisgleiriaf, y bechgyn a'r genethod a ddaeth allan o'n colegau a'n prifysgolion, ac a orfodwyd i fynd dros y ffin i Loegr i chwilio am swyddi am nad oedd gwaith ar eu cyfer yng Nghymru. Sonia R.T.Jenkins yn un o'i lyfrau am borthmyn y ddeunawfed ganrif yn gyrru'r gwartheg drosodd o Gymru i ffeiriau Lloegr; nid gwartheg a yrrwyd o Gymru i Loegr yn y tridegau ond hufen pobl ieuanc y genedl. Yn y blynyddoedd dirwasgedig hyn y daeth Plaid Cymru i'r maes gwleidyddol i ddwyn gwaredigaeth i'r genedl fach hon a oedd ar fin cael ei nychu a'i gwasgu i farwolaeth gan ormes y pleidiau Seisnig. Heddiw wrth edrych arni yn camu ymlaen rhwng etholiad 1929 a llosgi'r Ysgol Fomio yn Llŷn yn 1936 gwelir tri pheth yn amlwg iawn.

I GWROLDEB EI GWEITHWYR. Wrth edrych yn ôl ar flynyddoedd cynnar Plaid Cymru fe'n hargyhoeddir ar unwaith mai gwŷr glew a gwragedd dewr a'i sylfaenodd, H.R.Jones, Saunders Lewis, Lewis Valentine, D.J.Williams, J.E.Jones, Kate Roberts; amser a ballai i mi fynegi am J.P.Davies, Ben Owen, Ambrose Bebb, Mai Roberts, Cassie Davies ac eraill, y rhai a roddodd fudiad rhyddid Cymru ar sylfaen ddiogel. Hawdd yw cymhwyso geiriau R.Williams Parry, un arall o gymwynaswyr mawr y Blaid yn ei dyddiau cynnar, am Saunders Lewis at y glewion hyn —"bod eu cariad at eu gwlad yn fwy nac at eu safle a'u llesâd."

Yn y cyswllt hwn carwn wneud un neu ddau o gyfeiriadau personol at H.R.Jones. Fe'i cofiaf yn dda iawn. Pan oeddwn yn fachgen ysgol cymerai ddiddordeb mawr ym mhlant Deiniolen a oedd yn aelodau o Urdd Gobaith Cymru. Trafeiliwr ydoedd wrth ei alwedigaeth, a deuai adref dros aml benwythnos. Ar ambell brynhawn Sadwrn yn yr haf âi â ni am dro i fyny at y Marchlyn am bicnic, ac yno ar lan y llyn adroddai hanesion am arwyr Cymru Fu wrthym. Dysgais fwy am Owain Glyndŵr ac Owen M.Edwards yn ei gwmni ef nag a wnes yn yr ysgol ddyddiol; slant Seisnig oedd i'r addysg yn honno, a gofelid na chaem glywed gormod am ramant ein cenedl yn y gorffennol. Tra bwyf fe gofiaf wyneb gwelw H.R. a'r olwg freuddwydiol a fyddai yn ei lygaid fel pe bai'n gweld ymhell, gweld ei Gymru rydd ddelfrydol, tu hwnt i ffiniau ei oes ei hun. Ef oedd un o'r dynion dewraf a adnabûm erioed. Pan ddaeth yn Ysgrifennydd Cyffredinol cyntaf y Blaid trodd draean ei gyflog yn ôl. O dan ddylanwad dynion fel ef a J.P.Davies deuthum yn genedlaetholwr yn ddiarwybod i mi fy hun. Wedyn dyna J.E.Jones yn ei ddilyn gan gefnu ar swydd dda a diogel fel athro yn Llundain am swydd, ansicr yr adeg honno, fel Ysgrifennydd a Threfnydd y Blaid a'i gyflog yn dibynnu ar gyfraniadau gwirfoddol. Plaid fechan ac ifanc —"eithr gwŷr trugarog oedd y rhai hyn, cyfiawnder y rhai nis anghofiwyd". Swnia hanes sefydlwyr y Blaid fel myth mewn oes pan mae pawb eisiau mwy o hawddfyd, a mwy a mwy o arian i brynu mwy o bethau.

Bwriwn olwg fras yn awr ar hynt y Blaid o 1929 ymlaen. Bu farw H.R.Jones yn nechrau haf 1930, ac erbyn 30 Rhagfyr yr oedd J.E.Jones wedi'i benodi'n Drefnydd ac Ysgrifennydd y Blaid fel olynydd iddo. Ni bu gwell dewis erioed, yn wir yr oedd yn rhagluniaethol. Pe cawn roi dehongliad diwinyddol o hanes y Blaid dywedwn fod aml ddigwyddiad yn ei hanes yn rhagluniaethol. Symudodd J.E. o Lundain i Gaernarfon, ac mewn ystafell tu cefn i Westy Pendref lle lletyai bu Swyddfa'r Blaid nes y symudodd yn ddiweddarach i ystafelloedd ehangach yn Heol y Castell. Cafodd J.E. groeso brwd gan aelodau'r Blaid yn Arfon, llawer ohonynt yn gymdeithion coleg iddo.

Gyda dyfodiad J.E. i Gaernarfon a sefydlu Swyddfa'r Blaid yn y dref agorwyd pennod newydd yn ei hanes. I ni aelodau ieuainc y Blaid yn y tridegau, J.E. oedd y Blaid a'r Swyddfa ym Mhendref oedd ein Meca. Gweithiai J.E. yn ddiwyd a thawel gan gario pen trymaf y baich ei hunan bob amser. Yr oedd yn siriol a dengar gyda'i gydweithwyr, ac ni chollai ei dymer byth gyda'i wrthwynebwyr, ond eu hateb yn gwrtais a bonheddig. Beth bynnag fyddai'r gwaith y gofynnai i ni ei gynorthwyo, gwerthu'r *Ddraig Goch* mewn ardal, canfasio o dŷ i dŷ adeg etholiad, neu gyfeirio amlenni yn y Swyddfa, gallem fod yn sicr y byddai ef wedi gwneud yr holl drefniadau ymlaen llaw. Cofadail i'w fedrusrwydd fel Trefnydd yw Llawlyfr y Blaid a gyhoeddwyd yn 1932, lle ceir cyfarwyddiadau manwl pa fodd i ffurfio cangen o'r Blaid mewn ardal, ac yna sut i gario'i gwaith ymlaen. Ei ddycnwch a'i wydnwch ef a gadwodd y Blaid yn fyw yn ystod y blynyddoedd anodd hyn, a'r un dewrder a fu'n gefn iddi ac a fu'n un o'r ffactorau a'i cadwodd rhag chwalu yn ystod blynyddoedd bygythiol yr Ail Ryfel Byd.

Yn y cyfnod cynnar hwn yr oedd dwy ochr i waith y Blaid. Er hwylusdod fe'u galwaf yn ochr academaidd a'r ochr ymarferol. Wrth sefydlu'r Blaid daethpwyd o hyd i egwyddorion sylfaenol cenedlaetholdeb Cymreig. Yn yr ail gyfnod hwn yr oedd rhaid mynegi'r egwyddorion haniaethol hyn yn bolisi economaidd y Blaid. Ar y dechrau penderfynwyd peidio ag anfon ymgeiswyr y Blaid i Senedd Lloegr ped etholid hwy.

Dyna oedd y polisi yn yr etholiad cyntaf hwnnw, a ymladdodd L.E.Valentine dros y Blaid yn Etholaeth Arfon yn 1929, ac yn ddiau bu hyn yn rhwystr iddi. Cofiaf glywed amryw yn dweud yr adeg honno mai gwastraffu pleidlais fuasai ei rhoi i'r Blaid am na fwriadai'i hymgeisydd fynd i'r Senedd ped etholid ef. Y flwyddyn ddilynol yn Ysgol Haf Llanwrtyd 1930 newidiwyd y polisi, ac o hynny ymlaen penderfynodd y Blaid anfon ei hymgeiswyr llwyddiannus i'r Senedd.

Ar ôl datgan mai rhyddid a hunanlywodraeth i Gymru oedd nod y Blaid, rhaid oedd mynegi pa fath neu pa ffurf ar hunanlywodraeth a fynnem a'i ddiffinio'n fanylach. Ar yr adeg eithriadol o bwysig hon yn hanes y Blaid cafodd gymorth ac arweiniad amhrisiadwy Saunders Lewis â'i feddwl praff a miniog (hyn eto'n rhagluniaethol). Termau a glywid yn aml mewn cynadleddau rhanbarthol ac yn nhrafodaethau Ysgolion Haf Plaid Cymru ydoedd annibyniaeth, rhyddid, perchentyaeth, cydweithrediad mewn diwydiant, datganoli, gwasgaru diwydiant a dangos mai un o amodau gwarineb yw osgai mawrdra. Daw termau fel hyn ag enwau'r Dr D.J.Davies a'i briod Dr Noelle Davies i'm cof. Nid yn frysiog a difeddwl y ffurfiwyd polisi'r Blaid, ond wedi llawer iawn o drafod pwyllog. Ceir ffrwyth y trafodaethau hyn yn y Deg Pwynt Polisi a gyhoeddwyd yn 1933; fe'u ceir gyda nifer o erthyglau eraill sy'n adlewyrchu'r cyfnod hwn yng nghyfrol *Canlyn Arthur* Saunders Lewis a gyhoeddwyd yn 1938.

Trown at yr ochr ymarferol i'r gwaith. Ar ôl llunio polisi, y cam nesaf oedd ei ledaenu a'i boblogeiddio er mwyn ei gyflwyno'n effeithiol i'r genedl. Addysgu a hyfforddi aelodau'r Blaid yn ei pholisi a'i dulliau o weithredu oedd yn bwysig yn awr. Mabwysiadodd y Blaid ddulliau cyfansoddiadol a di-drais o weithredu, ac addysgodd ei haelodau i ddefnyddio'r dulliau hyn i gyflwyno ei pholisi a'i neges i'r etholwyr mewn etholiadau lleol a seneddol. Yn y tridegau cynnar bu bri ar Ddosbarth Siaradwyr a drefnid gan Gangen y Brifysgol a Changen Dinas Bangor ac fe'i cynhelid ar brynhawn Sadwrn mewn caffi ym Mangor Uchaf. Manteisiodd llawer ohonom ar y dosbarth hwn; fe'n hyfforddid yn egwyddorion cenedlaetholdeb Cymreig ac ym mholisi'r Blaid o dan arweiniad J.E.Daniel ac Ambrose Bebb. Cofiaf am rai o'r darlithoedd gwych a gaem yn achlysurol, fel darlith A.O.H Jarman ar Iwerddon, a darlith H.Francis Jones ar Wŷr Llangwm a'r Rhyfel Degwm.

Yn ystod y blynyddoedd hyn cyhoeddodd y Blaid nifer o bamffledi gwerthfawr. Yr oedd wedi dechrau cyhoeddi'r *Ddraig Goch* er 1926, ac yn 1932 penderfynodd gyhoeddi y *Welsh Nationalist* (y *Welsh Nation* wedi hynny). Un o'r pamffledi pwysicaf a gyhoeddwyd, ac y bu gwerthu mawr arno, oedd *The Banned Wireless Talk On Welsh Nationalism* gan Saunders Lewis. Gwahoddwyd yr awdur i roi sgwrs ar Genedlaetholdeb Cymru ar y radio, ond ddeuddydd cyn y darllediad fe dynnodd penaethiaid y B.B.C. y gwahoddiad yn ôl. Yn y blynyddoedd hyn arferai aelodau Cangen Coleg y Brifysgol ym Mangor fynd oddi amgylch i werthu *Y Ddraig Goch* a phamffledi'r Blaid ar y strydoedd yn nhrefi a phentrefi Môn a Arfon; lleoedd iawn am farchnad oedd Caernarfon, Llangefni ac Amlwch ar nos Sadwrn. Un tro, ar ôl i mi fod yn gwerthu'r *Ddraig Goch* yn Llanfairfechan derbyniais lythyr yn y Coleg ym mhen rhyw dri neu bedwar diwrnod oddi wrth y Prifathro Syr Emrys Evans, yr un Syr Emrys ag a fu'n darlithio i Ysgol Haf y Blaid yn Llangollen yn 1927 ar Egwyddorion Addysg Genedlaethol, yn fy ngwadd i'w ystafell. Dyma fynd i'w weld a derbyn cerydd llym am gymryd rhan yn y fath anfadwaith, a rhybudd nad oedd ef yn caniatáu i fyfyrwyr y Coleg gymryd rhan mewn gwaith gwleidyddol. Ofnaf i'w eiriau a'i gerydd ddisgyn ar glustiau byddar.

Tra bûm yn fyfyriwr ym Mangor bûm am gyfnod yn cynorthwyo J.E. a Phwyllgor Sir Gaernarfon i drefnu cyfarfodydd cyhoeddus yma a thraw yn y sir. Yr oedd hyn yn'brofiad digon diflas yn aml; llosgi ystafell mewn neuadd neu ysgol mewn pentref, penodi dyddiad a threfnu siaradwr; hwnnw weithiau'n torri'i gyhoeddiad ar y funud olaf ac nid oedd dim amdani ond mynd yno fy hun a chyhoeddi neges y Blaid cystal ag y gallwn. Ni chaem fawr ddim cefnogaeth mewn aml ardal, ychydig a ddeuai i'r cyfarfodydd a drefnid —rhyw hanner dwsin a llai na hynny yn aml ac weithiau neb yn troi i fyny. Cofiaf fynd i Landudno, i gyfarfod unwaith a neb ond Elwyn Roberts, a weithiai yn y banc yno ar y pryd, yn bresennol. Lliniarwyd y siom gan y swper ardderchog a'r sgwrs anfarwol a gefais gydag E.R. yn ei lety. Rhoddwn gyfrif o'm goruchwylion i'r Pwyllgor Sir bob mis. Adroddiad digon digalon fyddai gennyf y rhan amlaf, ond chwarae teg i J.E. gwerthfawrogai bopeth a wnawn a diolchai am y gymwynas leiaf. Ni wybu ef beth oedd llwfrhau na thorri calon. O sôn am Bwyllgor Sir Gaernarfon a gyfarfyddai yng Ngwesty Pendref y blynyddoedd hynny, erys llu o atgofion difyr yn fy meddwl, am y gwmnïaeth radlon a fyddai yno. Bûm mewn ugeiniau o bwyllgorau yn ystod fy oes, ond dyma'r pwyll-gor mwyaf hwyliog a chartrefol y bûm yn aelod ohono erioed. Edrychwn ymlaen am gael cynrychioli Cangen Coleg Bangor arno o fis i fis. Wrth edrych yn ôl byddaf yn aml yn rhyfeddu at fy hyfdra a'm digywilydd-dra'n mentro mynd allan i annerch ar wleidyddiaeth. Cofiaf y tro cyntaf yr euthum allan dros y Blaid. Un dydd Gwener ar ddiwedd darlith olaf y bore dyma J.E. Daniel, ar ôl gorffen darlithio ar Athrawiaeth Gristnogol, yn dod ataf ac yn gofyn imi fynd gydag ef y noson honno i annerch cyfarfod y Blaid yn festri Capel Maes y Neuadd, Trefor. Nid oeddwn erioed wedi dweud gair ar wleidyddiaeth yn gyhoeddus. Nid oedd dim amdani ond darllen rhyw ddau neu dri rhifyn o'r *Ddraig Goch* a oedd gennyf wrth law yn fy llety. Erbyn amser cychwyn i'r cyfarfod yr oedd gennyf bwt o anerchiad, ac nid oedd y siarad yn blino dim arnaf, ond crynwn yn fy esgidiau rhag ofn i rywun ofyn cwestiwn. Pe digwyddai hynny fe'm bwrid i ganol y niwl ar unwaith. Ychydig a wyddwn am wleid-yddiaeth a llai fyth am economeg; dywedaf hyn i ddangos mai cariad angerddol at Gymru'n llosgi yn ein calonnau yn fwy na gwybodaeth yn ein pennau oedd cenedlaetholdeb i lawer o aelodau ifanc y Blaid yn y tridegau, ac yng ngrym y cariad hwnnw yr ymunasom â'r mudiad gwleidyddol newydd i sicrhau rhyddid i'n cenedl.

Rhan bwysig arall o waith y Blaid yn ystod yr wythnosau o flaen Etholiadau Seneddol 1931 ac 1935 oedd canfasio a rhannu llenyddiaeth o dŷ i dŷ. Caem groeso cynnes mewn rhai cartrefi a gwg wrth ddrysau eraill. Cerddais a chrwydrais lawer gydag am-ryw o aelodau selog y Blaid i ganfasio. Bûm gydag Ambrose Bebb fwy nag unwaith (ef yn cerdded a minnau'n rhedeg). Ni allaf beidio â chyfeirio at un profiad diddorol a gefais wrth ganfasio yn erbyn yr Ysgol Fomio. Wedi bod wrth y gwaith yng

Y MAE'R BLAID

1 O ymosod am ddwy ganrif a hanner ar annibyniaeth Cymru, a'i ddwyn ymaith yn y diwedd drwy drais a gormes, yn 1282.

> "Llawer hendre fraith gwedi llwybr goddaith,
> A llawer diffaith drwy anhraith draw."

2 O barhau'r ormes am ganrif arall hyd oni chododd Cymru gyfan i'w herbyn dan arweiniad Glyndwr. O ddinistrio'i ymdrech i ddiogelu bywyd cenedl y Cymry trwy roddi iddi lywodraeth Gymraeg, a dwy Brifysgol ac Eglwys.

3 O geisio cadw'r genedl ar lawr, trwy basio i'w herbyn, dan Harri'r IV., gyfres o'r deddfau creulonaf a wnaed yn erbyn cenedl erioed.

4 O uno Cymru a Lloegr, gan lurgunio ei thir, a gwneuthur ei hiaith yn esgymun.

> "Henceforth no Person or Persons that use the Welsh Speech or Language shall have or enjoy any Manner Office or Fees within this Realm of England, Wales or other of the King's Dominions, upon Pain of forfeiting the same Offices or Fees, unless he or they use and exercise the English Speech or Language."—27 Harri'r VIIIed, 26.

SAIF Y GEIRIAU HYN HYD HEDDIW AR DDEDDFLYFR LLOEGR YN SEN PARHAUS AR EIN CENEDL.

5 O ddileu gweddillion olaf y gwahaniaeth rhwng Cymru a Lloegr trwy ddiddymu Llys y Sesiwn Fawr yn 1830, yr unig sefydliad a gydnabyddai Cymru fel uned genedlaethol.

6 O dywallt gwaed Cymry, miloedd ar filoedd, ar bum cyfandir, yn rhyfeloedd imperialaidd Lloegr, o adeg Edward I. hyd y Rhyfel Mawr.

7 O blannu yng Nghymru yn y ganrif ddiwethaf gyfundrefn addysg i gwblhau yr hyn y methodd y cestyll a'i wneuthur sef lladd iaith a diwylliant ac enaid y genedl, a'i rhwygo o'i bôn i'w brig.

YN CYHUDDO LLOEGR :

O ddinistrio hunan-barch y Cymro trwy dorri llinyn arian ei draddodiad cenedlaethol, a chodi yng Nghymru genhedlaeth na ŵyr am ei gorffennol ei hunan.

O ddefnyddio hyd yn oed donnau'r awyr i hyrwyddo'r difrod hwn.

8 O ddwyn i Gymru, yn lle ei harfer frodorol o rannu eiddo rhwng yr holl deulu, ac felly greu cymdeithas o gydradd olion, y sistem ffiwdalaidd o ganoli eiddo, a arweiniodd i holl ddrygau landlordiaeth, trwy wneuthur rhent yn lle eiddo yn sylfaen cymdeithas.

9 O ddefnyddio adnoddau naturiol Cymru, nid er mwyn ei datblygu ond er mwyn ei disbyddu.

O gymryd y glo a gadael y tipiau.

O gymhwyso dulliau maes aur newydd neu blantasiwn yn Affrica at faes glo y Dê.

O ddiboblogi'n ardaloedd gwledig er mwyn diwallu chwant y glofeydd am weithwyr.

O roddi i ni holl anfanteision y Gyfalafiaeth hacraf a welodd y byd erioed heb gymaint ag un o'i manteision; ffyrdd, rheilffyrdd, camlesi, peiriannau, bob un yn llesteirio'r gwaith o wneuthur Cymru'n un, ac yn prysuro'r gwaith o'i sugno'n sych.

O ladd gwareiddiad y Cymro er mwyn Cyfalafiaeth Imperialaidd y Sais, megis y gwnaethpwyd yn India ac Iwerddon.

10 O anwybyddu trwy ei Bwrdd Trafnidiaeth, ei B.B.C., a'i Bwrdd Trydan Canolog, unoliaeth Cymru, a'i ddarnio i ddibenion gweinyddiaeth Seisnig.

11 O osod Cymru ddiniwed ym mlaen y gad rhwng yr Iwerddon ac Imperialaeth Lloegr, a gadael i ergydion trymaf y frwydr ddisgyn ar dredi Cymreig megis Caergybi ac Abergwaun, ac ar faes glo y Deheudir.

12 O wneuthur diffaethwch a'i alw'n wareiddiad.

Enghraifft o bropaganda digyfaddawd Y Ddraig Goch, Medi 1937 nghyffiniau Tudweiliog a Llangwnadl, cyraeddasom Fryncroes, a churo wrth un drws yno; gwraig yn dod i ateb y drws a sosban yn ei llaw ac ar ôl imi ddweud fy neges, dyma hi'n codi'r sosban ac yn dweud, "dos adre y diawl bach, mae 'ngŵr i wedi dechrau gweithio yno dydd Llun dwytha ar ôl bod ar y dôl ers wythnosa". Dyna dristwch pethau yng Nghymru yr adeg honno; tlodi a diweithdra wedi darostwng y werin nes ei gwneud yn ddibris o'i threftadaeth, ac yn barod i werthu ei thir a'i hetifeddiaeth i lywodraeth Lloegr i'w defnyddio i ddibenion milwrol.

II GORCHFYGU'I GELYNION. Naturiol i blaid ieuanc oedd gorfod wynebu llawer o wrthwynebiad a gelynion ffyrnig o dro i dro. Ystyriwn rai o'r gelynion y bu yn rhaid i'r Blaid eu trechu.

(a) ANWYBODAETH. Yr oedd anwybodaeth am ramant Cymru ddoe, ac am adnoddau cyfoethog Cymru heddiw a'i phosibiliadau yfory yn beth i'w ddisgwyl ar ôl pedair canrif o gaethiwed a chanrif o wthio polisi addysg Seisnig ar ein cenedl. Temtir fi i gredu ambell dro bod Deddf Addysg 1870 wedi gwneud mwy o ddifrod a mwy o ddrwg i Gymru na hyd yn oed Ddeddf Uno 1536. Hyhi sy'n gyfrifol bod Cymry yng Nghymoedd Morgannwg a Mynwy, ac yn ardaloedd y goror yn y gogledd yn siarad Saesneg â'i gilydd ac ar eu haelwydydd heddiw, a'u plant wedi colli'u mamiaith yn gyfan gwbl. Er eu bod yn deall Cymraeg, Saesneg a glywir amlaf ar wefusau pobl yn eu chwech a'u saithdegau sy'n byw yn yr ardaloedd hyn. Tlodi Cymru, dyna ddadl arall yr arferid ei chodi yn erbyn mynd yn rhagom tuag at ryddid i'n cenedl. Darlunid Cymru fel rhyw wlad fach dlawd yn dibynnu'n gyfan gwbl ar gyfoeth Lloegr, a thybid na allem fyw ond yng nghysgod Lloegr. Erbyn hyn chwalwyd y ddadl hon gan fwy nag un o economyddion y Blaid, a sylweddolwn fod Cymru yn wlad fechan gyfoethog mewn adnoddau crai, ond bod Lloegr yn ei hecsbloetio i'w diben ei hun.

(b) RHAGFARN. Peryclach i lwyddiant y Blaid na hyd yn oed anwybodaeth yw rhagfarn neu ragfarnau o bob math. Yn y tridegau dadl a gyfodid yn fynych yn erbyn y Blaid oedd y ffaith bod Saunders Lewis ei Llywydd yn Babydd, (y bwgan Pabyddol fel y gelwid ef ar y pryd). Digwyddai hyn fynychaf yn ardaloedd cefn gwlad Cymru lle'r oedd Ymneillutuaeth yn gadarn.

Bûm yn annerch cyfarfod cyhoeddus i'r Blaid mewn cylch gwledig fwy nag unwaith, a rhywun yn gofyn (blaenor gan amlaf) a oedd perygl i'r Blaid droi Cymru'n Babyddol am mai Pabydd oedd ei Llywydd? Aeth y cyfnod yna heibio. Nid oes neb yn gofyn yn y dyddiau materol hyn pa un ai Pabydd neu Brotestant yw ymgeisydd gwleidyddol neu a oes ganddo grefydd grefydd o gwbl . . .

Hawdd y gellid deall a maddau rhagfarn y gwerinwr syml, ond deuai gwaeth rhagfarn yn erbyn y Blaid o gyfeiriad gwŷr academaidd a'i gwawdiai o'u tyrau ifori yn y colegau; rhagfarn dynion a ddylai wybod yn well oedd hwn. Clywais rai ohonynt yn dadlau mai Ffasgiaid oedd ei harweinwyr, Saunders Lewis a J.E. Daniel yn arbennig, a chyhuddent hwy o droi'r cloc yn ei ôl, a mynd â Chymru i'r Canol Oesoedd drachefn. Yn ddiweddar iawn clywais un o Aelodau Seneddol Cymru yn dweud ar raglen radio mai perthyn i'r Canol Oesoedd y mae polisi Plaid Cymru.

(c) UCHELGAIS BERSONOL. Daeth rhai gwŷr a gwragedd i'r Blaid gyda'r bwriad o ddod ymlaen yn y byd, ond pan welsant nad oedd ganddi swyddi bras na safleoedd cyfforddus i'w cynnig buan y troisant eu cefnau arni. Bu uchelgais bersonol yn fagl i aml un, a gallai'r Blaid ddweud amdanynt fel y dywedodd Paul gynt am Demas —"a Demas a'm gadawodd gan garu'r byd presennol." Gwelodd Plaid Cymru aml Ddemas yn ei blynyddoedd cynnar. Llwybr amhoblogaidd iawn fu llwybr cenedlaetholwŷr Cymru am flynyddoedd ac fe ŵyr llawer ohonom beth yw cael ein gwawdio gan gyd-Gymry taeog am ein bod yn aelodau o'r Blaid. Yr oedd sosialaeth yn gref a chadarn yn ardaloedd chwareli Arfon yn y tridegau a chyfeirid at Blaid Cymru gyda dirmyg. Gelwid hi y Blaid Bach gan ddarogan na ddeuai dim ohoni, ond Y Blaid Bach sy'n cynrychioli'r ardaloedd hynny yn y Senedd heddiw; dyfal gnoc a dyr y garreg, a daeth tro ar fyd mewn hanner canrif.

(d) YSTRYW Y PLEIDIAU SEISNIG. Ar ôl sefydlu Plaid Cymru defnyddiodd y Pleidiau Seisnig bob ymgais ac ystryw i atal ei thwf a'i chynnydd. Un o'r ystrywiau peryclaf oedd y Mudiad Gwerin a ddaeth i fod yng Ngholeg y Brifysgol Bangor yn y tridegau diweddar. Cyfuniad o ryw fath o wladgarwch

Cymreig a sosialaeth ydoedd, a thu ôl iddo yr oedd nifer o
Gymry a oedd yn aelodau o'r Clwb Sosialaidd yn y Coleg. Ei
amcan oedd chwalu'r Blaid trwy roi slant Gymreig i sosialaeth.
Ar y pryd fe apeliodd at rai Cymry, ac fe lwyddodd i ddenu rhai
o'r Blaid, ond erbyn hyn mae'r mwyafrif ohonynt yn ôl ynddi.
Byr fu ei barhad, ac fel cicaion Jona gynt "mewn noswaith y bu
ac mewn noswaith y darfu". Er gweiddi "gwerin gwerin" aeth
rhai ohonynt ymhell oddi wrth y werin honno, i swyddi breision
a safleoedd diogel, a hyd yn oed i Dŷ'r Arglwyddi.

III GWERTH EI GWELEDIGAETH. Hanner canrif yn ôl pan
oedd y pleidiau Seisnig wedi gadael Cymru'n ddiffeithwch
gwleidyddol daeth sefydlwyr Plaid Cymru i'r maes gyda gwele-
digaeth o Gymru Rydd; dyna gynnwys breuddwyd H.R. Jones,
Griffith John Williams ac eraill. Gwelsant hwy fod modd troi'r
diffeithwch yn ardd pe ceid rhyddid i wneud hynny. Mae'r
weledigaeth honno mor gyfoes, os nad yn fwy cyfoes heddiw
na'r adeg honno. Wedi'r diboblogi cyson o'r ardaloedd gwledig,
y mewnlifiad o Saeson sy'n prynu bythynnod gwyliau ac ail
gartrefi yng Nghymru a'r diweithdra cynyddol, mae Cymru yn
mynd yn fwy o anialwch o hyd o dan ddwylo pleidiau Llundain.
Am hynny apeliaf at y Blaid i lynu'n dynn wrth ei gweledigaeth
gyntaf a cherdded rhagddi i ryddid yng ngoleuni'r weledigaeth
honno.

Cyfnod o frwydro caled ac o weithio diwyd yn wyneb llu o
anawsterau fu'r blynyddoedd 1929-1936 i Blaid Cymru. Araf
fu'r cynnydd, ond bu cynnydd er hynny. Rhof ychydig o
ffigurau i brofi hynny.

1930: Nifer yr aelodau, 500; Nifer y canghennau, 5;
Pwyllgorau Sir, 1.
1935: Nifer yr aelodau, 2,500; Nifer y canghennau, 67;
Pwyllgorau Sir, 11.
Pleidleisiau'r Blaid yn Yr Etholiadau Seneddol:
1929: 609
1930: 1,136
1935: 2,534.

Dafydd Jenkins

PENYBERTH A'R CYFNOD WEDYN 1936-1938

NID hanes brwydr Ysgol Fomio Penyberth a gewch chwi gen-
nyf i: fe sgrifennais yr hanes hwnnw yn *Tân yn Llŷn*, orau y
gallwn, ac nid oes gennyf yn awr ond ambell nodyn ar ymyl y
ddalen i'w ychwanegu. Ymgais a gewch gennyf i ddangos
pwysigrwydd Penyberth yn natblygiad y Blaid, ac mae arnaf
awydd gosod is-deitl i'r ymdriniaeth, sef "Teyrnged Feirniadol i
Saunders Lewis". Rwy'n hyderu y byddai Mr Lewis yn
croesawu peth o'r fath, gan mai eithaf prin fu *beirniadaeth*
arno: digon arwynebol anfeirniadol fu canmol a chollfarn fel ei
gilydd.

Yn gynnar y bore, 8 Medi 1936, y llosgwyd yr adeiladau ar
faes yr Ysgol Fomio, ar derfyn ymgyrch brotest a barodd am
ryw bymtheg mis, gyda rhyw weithred o her o natur y llosgi
hwnnw yn cyniwair ym meddwl rhai pobl am gryn dipyn o'r
amser hwnnw. Ddechrau'r flwyddyn (2 Ionawr 1936) yr oedd
gohebydd y *Western Mail* yn sgrifennu o Gaernarfon:

> I am able to reveal that the Nationalists of Wales are seriously consider-
> ing embarking on demonstrations of passive resistance to authority,
> with all its concomitants of law-breaking and disturbance . . .
>
> To-day I met a pseudo-martyr. He happens to be a brilliant scholar,
> and for his own sake I will call him Mr X. He talked of giving his life
> for Wales as prosaically as making a New Year gift to an errand boy.
> "We have talked long enough," he said: "The time has come to do
> something, and if our bodies are broken or our lives forfeit what will it
> matter, if the end is achieved? The building of the new Air Force
> establishment at Porth Neigwl in the Lleyn Peninsula is a wonderful
> opportunity for us . . . "

Wedi dyfynnu rhagor o eiriau Mr X am y modd y gellid protest-
io'n ymarferol, sylw'r gohebydd oedd: "Apparently the role of
the Gandhi of Wales will be filled by Mr Saunders Lewis."

Hollol annheg â Saunders Lewis fyddai dweud amdano —fel
yr oedd y gohebydd hwnnw'n awgrymu am ei Mr X —ei fod yn
chwennych merthyrdod; digon teg fyddai dweud ei fod yn
dyheu am gyfle i gyflawni gweithred a allai danio dychymyg

Cymru. Yn yr ysgol fomio fe gafodd ei gyfle, fe'i cymerodd, ac fe daniodd ddychymyg Cymru. Os danodir i Gymru fod y dychymyg hwnnw wedi mud-losgi am ddeng mlynedd ar hugain cyn torri'n fflam yn is-etholiad Caerfyrddin, rhaid i Gymru gyfaddef fod y dannod yn deg, a cheisio esbonio'r rheswm am y mud-losgi hir; ond cyn dod at hynny, rhaid pwysleisio mai tân Penyberth a ddangosodd yn amlwg fod y Blaid ar gael. I'r byd oddi allan, er bod y Blaid erbyn hynny'n un-ar-ddeg oed, yn y tân hwnnw y cychwynnodd hi.

Fe daniwyd dychymyg Cymru ddigon iddi ddechrau sylweddoli fod yr awdurdodau Prydeinig yn anwybyddu Cymru, a digon i ennill cydymdeimlad y werin i'r Tri a heriodd yr anghyfiawnder. Yn dystiolaeth i hynny gallwn sôn am y profiad a gefais wrth fynd am ychydig ddyddiau yn Haf 1937 i geisio derbynwyr i'r *Ddraig Goch* yn ardal y glo carreg yn sir Gaerfyrddin. Gwas bach oeddwn i i'r diweddar Barch. Ben Owen (Llanberis y pryd hwnnw); byddai yntau'n esbonio ym mhob tŷ mai'r tri a oedd yn y carchar am losgi'r Ysgol Fomio a oedd ynglŷn â'r *Ddraig*, ac yn ddigon aml caem yr ateb "O, mae'n rhaid inni'i gael e 'te, gan taw nhw sydd ag e." Felly y sicrhawyd nifer calonogol iawn o dderbynwyr newydd —a minnau'n rhyw ddirgel hyderu, yn y misoedd wedyn, na fyddent yn darllen y papur yn rhy ofalus: fe ddaw'r rhesymau am hynny'n amlwg yn nes ymlaen.

Ar ôl y prawf yng Nghaernarfon, yn fwy wedyn ar ôl y cais am symud y prawf i Lundain, ac yn enwedig ar ôl y ddedfryd yn Llundain, yr oedd y gwynt yn troi i gyfeiriad y Blaid; ond ni chariodd y gwynt hwnnw moni i'r hafan ddymunol. Un rheswm am hynny oedd nad oedd y Llywydd wrth y llyw: a Saunders Lewis yn y carchar, nid oedd neb o'r dirprwy-swyddogion yn gallu manteisio'n llawn ar y gwynt. Yn wir, aeth un o'r dirprwy-swyddogion i gymaint husteria dan y gwynt nes tynnu cawod o daranau am ben y Blaid. Yr Athro W.J. Gruffydd oedd hwnnw: yntau wedi dod allan yn Bleidiwr amlwg yn sgîl ei wrthwynebiad i'r Ysgol Fomio, ac wedi'i gynhyrfu cymaint gan y prawf yn Llundain nes cyhoeddi y byddai Cymru mwyach yn cyfrif pob Sais yn elyn; galwodd ar Gymru oll i foicotio coroni'r brenin Siôr VI, ond nid oedd hyd

y DDraig Goch

PAPUR PLAID CENEDLAETHOL CYMRU

CYFROL XI. RHIF 9   MEDI, 1937   PRIS: DWY GEINIOG

"O GARCHAR OFN DAETH YN RHYDD"

Llun ydyw hwn a dynnwyd gan y Dr. Gwent Jones ar ei ymweliad â Mr. Saunders Lewis yng Ngharchar Wormwood Scrubs. Y mae yn llun nodedig iawn. Tu ol i'r waliau diadlam hyn yr oedd y Tri, ac uwch eu pen adar adwythig Annwfn. Dau simbol effeithiol, y naill o'r ormes oesol a fu ar Gymru, y llall o'i mynegiant hacraf yn ein dyddiau ni. Llun anobaith, darlun o'r pethau sydd yn llethu Cymru, arwyddlun y barbareiddiwch a fu'n ein bygwth ymhob cenhedlaeth.

Ond i'r Blaid Genedlaethol, darlun gobaith ydyw'r darlun hwn, arwyddlun buddugoliaeth. Oblegid darlun ydyw o elyn a wynebwyd ac a goncrwyd, celain bwystfil a laddwyd ydyw. A'r gelyn a'r bwystfil hwnnw

ydyw Ofn. O fewn y muriau hyn y dangoswyd, peth na chredasai neb cyn hyn, fod Cymru yn wlad y gellid dioddef drosti yn ogystal ag elwa arni, ei bod yn wrthrych serch yn ogystal ag yn gyfle uchelgais. O fewn i'r muriau hyn yr achubwyd enw da Cymru gerbron brawdle ei Hanes ei hun ac ar goedd byd. Yn bennaf oll, o fewn i'r muriau hyn y gwisgodd Cymru gig a gwaed, a throi o fod yn breswylydd amgueddfa a chrair yr hanesydd, i fod yn gydymaith byw. Megis yn Odusseia Homer na allai ysbryd y proffwyd marw Teiresias lefaru gair wrth y byw nes yfed o rym gwaed yr aberth, felly y mae llawer na fedrodd "ysbryd" Cymru lefaru gair wrthynt nes i aberth a dioddefaint y Tri arllwys gwaed i'w wythiennau gwelw a gosod llafar ar ei dafod mud.

yn oed fro enedigol Gruffydd ei hun yn aeddfed i ymwrthod â the-parti'r dathlu pan ddaeth yr adeg.

Newyddian mewn swydd yn y Blaid oedd Gruffydd. Yr oedd y ddau ddirprwy-swyddog arall, J.E. Daniel ac Ambrose Bebb, yn fwy profiadol ac yn gallach, a gwnaethant un peth a ddangosodd fwy o syniad am wleidyddiaeth ymarferol nag a oedd yn gyffredin yn y Blaid yn y cyfnod hwnnw. Anfonwyd at y canghennau i'w hannog i sefyll mewn etholiadau lleol: nid anogaeth wreiddiol iawn, ond mae'r anogaeth yn llai pwysig na'r neges o'i blaen, sef bod y Tri yn y carchar am na wnaethai aelodau'r Blaid eu dyletswydd o ennill seddau ar y cynghorau lleol. Yr oedd y feirniadaeth yn gywir: ychydig iawn o wrth-wynebiad i'r Ysgol Fomio a gawsid gan y cynghorau, ac yr oedd yn hawdd i'r awdurdodau ateb pob protest gan gorff gwirfoddol drwy ddweud nad oedd gwrthwynebiad oddi wrth gynrychiol-wyr etholedig y bobl.

Ni fodlonodd Daniel a Bebb ar annog: rwy'n tybio i'r ddau ymladd am seddau ar gyngor Dinas Bangor, ac aeth Bebb, beth bynnag am Daniel, yn aelod ar ôl cynnig neu ddau. Dangosodd hynny nad oedd angen ond ychydig ddygnwch i ennill sedd ar gyngor bwrdeistref nad oedd yn ymrannu'n bendant yn ôl pleid-leisiau. Yn yr un cyfnod, aeth Morris Williams, perchen Gwasg Gee ers rhyw flwyddyn ar y pryd, yn aelod o gyngor Bwrdeistref Dinbych; a gallodd roi gwybod am ei lwyddiant i'r Tri yn eu carchar, drwy lunio stori fer am lwyddiant y Blaid Ddirwestol mewn etholiad yn Nhre-tomos (Tomos Gee, wrth gwrs) a'i hanfon i'r Eisteddfod Genedlaethol i'w beirniadu gan D.J. Williams, yntau wedi cael caniatâd yr awdurdodau i feirniadu o'r carchar. Gellir darllen y feirniadaeth, gyda'r sylw-adau a ddisgwylid ar stori Morris Williams, yng nghyfrol cyfansoddiadau Eisteddfodau Abergwaun a Machynlleth, 1936 ac 1937.

Ond er i'r Blaid ennill ychydig o seddau ar gynghorau lleol yn y cyfnod hwn, fe ddangosodd ei gwendid eto mewn methiant i fanteisio ar ei chyfle, a hynny, i'm tyb i, oherwydd rhyw ddiniweidrwydd egwyddorol megis. Gallaf egluro'r pwynt drwy sôn am enghraifft bendant o'r peth, a ddigwyddodd rywbryd tuag 1938. Yr oedd ad-drefnu trydan yn y gwynt gwleidyddol, a Phwyllgor Gwaith y Blaid yn trafod y pwnc; beth fyddai'r drefn orau ar gyfer Cymru? Mr Wynne Samuel, os cofiaf yn iawn, a ddaeth ag awgrym gerbron y Pwyllgor, yn cymell y Blaid i fabwysiadu yn bolisi gynllun ar gyfer Cymru o waith arbenigwr yr oedd ef yn ei adnabod; yr oedd y cynllun yn un priodol iawn i Gymru, ac ni chafodd y Pwyllgor anhawster i'w dderbyn. Buasai'n dda iawn gan y Pwyllgor Gwaith weld y cynllun arbennig hwn wedi'i fabwysiadu ar gyfer Cymru, ac aed i drafod y dulliau posibl o'i hyrwyddo.

Yr oedd un neu ddau o gynghorwyr lleol pur brofiadol yn bresennol, a gofynnodd un ohonynt am ganiatâd i gyflwyno'r cynllun i'w gyngor ef, yn gynllun a awgrymwyd iddo gan arbenigwr, ond heb enwi'r Blaid; yr oedd e'n ffyddiog y byddai ei gyngor yn ei dderbyn ac y byddai'r aelodau'n barod i'w gymeradwyo i gynghorau eraill. Byddai gobaith da i lawer cyngor gefnogi'r cynllun, o'i gyflwyno iddynt gan ryw gyngor arall, ond nid oedd fawr o obaith am gefnogaeth pe deuai'r cynllun gerbron â label y Blaid arno. Gwrthod caniatâd i'r cynghorwr gobeithiol a wnaeth y Pwyllgor Gwaith; yr oedd y rhan fwyaf o'r aelodau'n pallu credu na ddeuai'r cynghorau i wybod mai oddi wrth y Blaid y daethai'r cynllun, ac felly tybient fod cystal i'r Blaid fynnu clod cyhoeddus am gyflwyno cynllun pwrpasol, er na ddeuai dim budd o'r cyflwyno. Ni ddaeth dim budd o'r cyflwyno, ac mae'n debyg fod y Rhyfel wedi rhoi'r caead ar y sôn arbennig hwnnw am ad-drefnu trydan; ond mae'n werth adrodd yr hanes er mwyn pwysleisio fod arweinwyr y Blaid yn methu sylweddoli mor anwybodus oedd crynswth pobl Cymru, a'r cynghorwyr lleol yn eu plith, am y Blaid.

Cafwyd arddangosiad digrif o'r anwybodaeth honno pan dderbyniodd Cynhadledd Flynyddol y Blaid groeso dinesig am y tro cyntaf, sef yn Abertawe yn 1938. Yn ei araith groeso, ar ôl cinio ganol dydd y diwrnod cyntaf, dywedodd y Maer na wyddai'n iawn beth oedd amcanion y mudiad yr oedd yn ei groesawu, ond ei fod yn credu y byddai'r mudiad yn gwneud gwasanaeth mawr i Gymru pe gallai beri i'r byd alw *Brythons* arnom yn lle *Welsh*: cawsai ef brofiad chwerw mewn busnes am fod yr un gair Saesneg yn enw ar y Cymry ac yn ferf a oedd yn golygu *twyllo*. Yr oedd araith ddiolch Saunders Lewis yn gywreingamp o ymatal.

Ond mae Cynhadledd y Blaid yn 1938 yn haeddu sylw mwy difrifol hefyd, oherwydd dau benderfyniad a dderbyniwyd yno, sef un ynglŷn â pholisi cymdeithasol ac economaidd, ac un ynglŷn â phasiffistiaeth. Pwysigrwydd mwyaf y penderfyniadau hynny, mae'n debyg, oedd iddynt ostegu'r storm a oedd yn bygwth codi ers cryn amser oherwydd croesdynnu rhwng gwahanol garfanau yn y Blaid ar y ddau bwnc. Mae yn *Tros Gymru* J.E. Jones ychydig gyfeiriadau cynnil dros ben at y barnau gwahanol hyn; ac mae'n sicr, wrth edrych yn ôl, fod yr awgrym sydd ganddo, mai crychni bach ar y tywod yn unig a adawyd ganddynt, yn weddol gywir. Ond i ni ar y pryd, yr oedd y gwrthdaro i'w deimlo'n union fel storm fawr; ac i gallineb Saunders Lewis y mae'r clod am gadw'r storm draw.

Edrycher ar y penderfyniad pasiffistaidd yn gyntaf, penderfyniad yn datgan fod y Blaid yn ymwrthod â dulliau milwrol ar gyfer ennill Ymreolaeth, a hefyd yn rhan o bolisi'r Gymru Rydd. Oddi wrth bwyllgor sir Gaerfyrddin y daeth y cynnig, a chan Gerallt Jones[1] (y Parch. Gerallt Jones bellach) y codwyd ef yn y pwyllgor hwnnw. Yn wyneb y dehongliad "treisgar" a roddai rhai pobl barchus ar dân Penyberth, yr oedd e'n tybio mai da fyddai pwysleisio'n gyhoeddus mai plaid gyfansoddiadol a heddychol oedd y Blaid; ond yn ôl y cof sydd gennyf i, nid oedd e'n sicr mai doeth fyddai codi'r mater i'r gwynt yn y Gynhadledd: tebyg ei fod yn ofni yr âi'n ddadl fawr ar y cynnig, a hynny'n fêl ar fysedd y collfeirniaid o'r tu allan. Ond ymlaen yr aeth y cynnig, a'i gario'n eithaf rhwydd: ·siaradodd Gerallt Jones wrth ei gynnig, ond eilio'n ffurfiol a wneuthum i, gan fwriadu siarad yn ddiweddarach pe gwelwn fod angen ateb

---

[1] Yr oedd Gerallt Jones yn fab i'r Parchg. Fred Jones, un o aelodau cynta'r Blaid. Wrth baratoi'r anerchiad hwn, bûm yn darllen pamffledyn R.Hopkin Morris yng nghyfres Saesneg *Traethodau'r Deyrnas, Welsh Politics* (1927), a threwais ar y frawddeg hon: "Among the leaders of the Nationalist Party there are no doubt many sturdy representatives of the Old Nonconformist tradition, like the Rev. Fred Jones and Dyfnallt, who can have little in common with the Catholic sympathy of Mr Saunders Lewis and Mr Ambrose Bebb, and it remains to be seen how far political unity can be reconciled with spiritual diversity." Yn ôl Hopkin Morris hefyd, "it cannot be denied that the demand of the Nationalist Party for self-government is a just one" (tud. 17).

unrhyw ddadl: ond ni fu angen. Araith Saesneg, yn sôn am *Don John of Austria at the battle of Lepanto*, yw'r unig un yr wy'n ei chofio a oedd yn beirniadu'r cynnig. Mae'n debyg na ddywedodd Saunders Lewis ddim, gan ei fod yn cadeirio ar y pryd; wrth gwrs, gŵyr pawb nad yw ef yn basiffist,[2] ond fe weithredodd yn dra anrhydeddus ar y penderfyniad hwn: mewn cyfarfod cyhoeddus yn nhref Abertawe yn ystod yr Ysgol Haf, dangosodd beth y byddai'r penderfyniad yn ei olygu mewn disgyblaeth i ymladd brwydr ymreolaeth drwy ddulliau di-drais. Ond gwir arwyddocâd y penderfyniad hwnnw oedd ei fod yn dangos fel yr oedd y rhan fwyaf o aelodau'r Blaid yn ymwybod â'r traddodiad radicalaidd, er bod rhai o'r aelodau blaenllaw, wrth arllwys dŵr brwnt eu hen ffydd ym mhleidiau Llundain, wedi arllwys y babi radicalaidd hefyd.

Ar y penderfyniad arall, yng ngeiriau J.E. Jones, "aeth Saunders Lewis o'r gadair . . . i esbonio eto'n eglur bolisi cymdeithasol y Blaid. Yr oedd y wasg wedi dechrau brygawth-an am 'rwyg' yn y Blaid, ac ateb y Gynhadledd oedd —unfryd-edd tros bolisi cydnabyddedig y Blaid."[3] Nid oedd unfrydedd llwyr, a bod yn fanwl; ond mae'n debyg fod y rhai a oedd yn anghytuno â'r penderfyniad a basiwyd wedi cilio heb bleidleisio ar y cynnig, ar ôl i'r gwelliant a gynigiwyd ganddynt fethu. A chynnig cyfaddawd oedd yr un a basiwyd; ac fel hyn y bu.

Yr oedd ar raglen y Gynhadledd gynnig oddi wrth un o ganghennau'r Gogledd, yn galw am ymwrthod â pholisi econom-aidd tybiedig y Blaid, a mabwysiadu polisi pendant sosialaidd; yr oedd y cynnig yn faith iawn, gan ei fod yn manylu'n llawn am yr hyn a olygid. Yr oedd hefyd gynnig gwrthgyferbyniol, oddi wrth gangen arall yn ymyl y gyntaf, yn galw am fab-wysiadu'n ffurfiol y polisi a gymerid yn ganiataol yn llawer o sgrifennu cyhoeddus rhai o'r arweinwyr, polisi perchentyaeth

---

[2] Gan fod datganiadau Mr Lewis yn gallu creu'r argraff na ellir cysoni pasiffistiaeth ag athrawiaeth uniongred Eglwys Rufain, cymeraf y cyfle i ddweud cymaint dylanwad arnaf yn union cyn y Rhyfel oedd cyhoeddiad-au cymdeithas *Pax*, cymdeithas anenwadol a seiliai ei gwrthwynebiad i ryfel ar egwyddorion Cristionogol traddodiadol fel y datganwyd hwy gan ddiwinyddion Eglwys Rufain; gweler *Heddiw*, cyf. v, tud. 149 (1939).

[3] J.E. Jones, *Tros Gymru* (Abertawe, 1970), 202.

fel y gelwid ef. Pan aed i drafod y ddau gynnig yng nghyfarfod y Pwyllgor Gwaith wrth baratoi at y Gynhadledd, dywedodd rhai ohonom na ddymunem weld derbyn y naill na'r llall ohonynt. Yr oedd y cynnig sosialaidd yn rhy fanwl, gan nad oedd y Blaid eto'n ddigon cryf i fod yn manylu fel petai hi ar fin ennill awdurdod i ddeddfu. Yr oedd y cynnig arall yn y pegwn arall: gan nad oedd yn manylu, yr oedd yn ymddangos fel petai'n gorseddu egwyddorion y byddai pawb y tu allan i'r Blaid yn eu dehongli'n wrth-sosialaidd ac yn wrth-werinol. Petai'r Gynhadledd yn derbyn y cynnig hwnnw'n bolisi, yr oedd rhai ohonom yn rhagweld ymosodiadau na fyddem yn gallu amddiffyn y Blaid rhagddynt, a byddai'n rhaid inni ei gadael.

O ganlyniad i'r drafodaeth honno, lluniwyd y cynnig cyfaddawd, nad wyf mwyach yn cofio'i berwyl, mwy na'i fod yn gadael y ffordd yn rhydd i unrhyw aelod o'r Blaid arddel y syniadau economaidd a fynnai, er bod y Blaid yn datblygu polisi economaidd arbennig. Ac yn wyneb yr hyn a ddywedwyd gynnau, mae angen esbonio pam yr oeddem ni, aelodau Adain Chwith y Blaid megis, yn anesmwyth am y polisi —neu'n gywirach, am y mynegiant arferol ar y polisi: teimlo'r oeddem fod y mynegiant hwnnw'n gwneud cam â hanfod y polisi. Os troir at y gyfrol *Canlyn Arthur* (1938), sy'n cynnwys detholiad o'r hyn a sgrifennodd Saunders Lewis yn y *Ddraig Goch* rhwng 1926 ac 1936, fe gewch ymysg y Deg Pwynt Polisi y frawddeg: "Er mwyn iechyd moesol Cymru ac er lles moesol a chorfforol ei phoblogaeth, rhaid yw dad-ddiwydiannu Deheudir Cymru."[4] O'i dehongli fel y byddai darllenwyr y *Daily Herald* a'r *News Chronicle* yn ei dehongli (a chofier fod arweinwyr y Blaid yn gwybod yn iawn mai'r papurau hynny yr oedd gwerin Cymru'n eu darllen yn 1933, sef blwyddyn cyhoeddi'r frawddeg honno) yr oedd y frawddeg yn awgrymu bwriad ar ran y Blaid i yrru Cymru'n ôl i safon byw amaethyddiaeth dlawd rhyw gyfnod amwys yn y gorffennol, neu'n waeth fyth i safon byw *Meini Gwagedd* yn y 20'au a'r 30'au, cyn dyfod y lori laeth.

Y drwg oedd nad oedd nemor ddim cyhoeddusrwydd i wir ystyr y datganiad hwnnw, ystyr a oedd yn rhan o weledigaeth

---

[4] Saunders Lewis, *Canlyn Arthur* (Aberystwyth, 1938),

lawer ehangach. Mewn man arall yn y Deg Pwynt Polisi, dywed-
ir fod "cyfalafiaeth ddiwydiannol a chystadleuaeth economaidd
rydd oddi wrth reolaeth llywodraeth gwlad (h.y. masnach rydd)
yn ddrwg dirfawr ac yn gwbl groes i athrawiaeth cenedlaethol-
deb cydweithredol"; ac yn 1926 yr oedd Saunders Lewis wedi
sgrifennu, "Y Llywodraeth yn unig a ddylai fod yn gyfalafydd
mawr, a rhaid gwylio hyd yn oed ei chyfalaf hithau".[5] Mae lle i
feirniadu ar eiriad y datganiad yna, wrth gwrs; ond mae'r saf-
bwynt y mae'n ceisio'i fynegi yn hollol iach —a sosialaidd. Yr
oedd yn hollol glir fod y Blaid yn wrth-gyfalafol: Saunders
Lewis ei hun a ddefnyddiodd y gosodiad yna i'm llorio innau
mewn dadl, rywbryd yn 1938.

Yn wir, am fod y Blaid a'i Llywydd yn wrth-gyfalafol y coll-
odd y Llywydd hwnnw ei swydd yn Abertawe; dylanwad cyfal-
afol, fel y gwyddom, a roes fwyafrif yng Nghyngor y Coleg yn
erbyn ei ail benodi i'w ddarlithyddiaeth. Dyna'r ateb i rai
sylwadau gan Mr A.J.P. Taylor, yn ei ragymadrodd i ail gyfrol
British Pamphleteers, sy'n cynnwys araith Saunders Lewis ym
mhrawf Caernarfon:

> the author of the last pamphlet in this book lost his post at Swansea
> University College after the action which he describes. This does not
> prove that individual opinions are dangerous; it only proves that the
> Welsh are intolerant —more backward than the English, in fact, which it
> was the argument of the pamphlet to refute. If Mr Saunders Lewis
> achieved the independent Wales of his dreams, he would undoubtedly
> be flung into prison, if not burnt alive. As it is, his martyrdom (thanks
> to English protection) has been gentle in the extreme; after all, no one
> can regard the position of a lecturer at Swansea University College as
> something of which one is deprived with regret.[6]

Yr oedd y Blaid yn wrth-gyfalafol erioed, a hynny nid o
ddamwain ond yn ei hanfod: gan fod cyfalafiaeth wrth natur
yn oruwchwladol (yn hytrach na chydwladol, heb sôn am fod
yn wrth-genedlaethol), rhaid i genedlaetholdeb ei gwrthwynebu,
a gellir gweld hynny'n ddigon clir yn sgrifeniadau'r mwyaf ad-
weithiol o wŷr y Blaid yn y cyfnod hwnnw —ond craffu'n
ddigon gofalus. Ac ar yr ochr ymarferol, yr oedd amryw o
aelodau gweithgar y Blaid (D.J. Williams yn arbennig yn eu

[5] *Canlyn Arthur* 23

[6] *British Pamphleteers*, cyf. ii (gol. Reginald Reynolds; Llundain, 1951),
8-9.

plith) wedi bod yn aelodau gweithgar yn y Blaid Lafur, yn aml yng ngharfan yr I.L.P., cyn gweld ffurfio plaid eu gwlad eu hunain. Yr oedd eraill wedyn yn arddel y radicaliaeth honno a aeth ar goll o'r Blaid Ryddfrydol am nad oedd radicaliaeth a *laisserfaire* yn cyd-fynd. Beth gan hynny a greodd yr argraff, yn y flwyddyn neu ddwy cyn yr Ail Ryfel, mai plaid adweithiol, yn gymdeithasol ac yn economaidd, mewn gair Plaid y Dde, oedd y Blaid? Yr argraff honno a barodd ymosodiadau afiach Gwilym Davies a Thomas Jones ym mlynyddoedd cynta'r Rhyfel; a'r argraff honno sy'n peri fod y wasg heddiw'n sôn byth a hefyd am y Blaid yn *troi* i'r Chwith yn y blynyddoedd diwethaf. A minnau'n hollol sicr mai ar y Chwith yr oedd hi erioed.

Ar yr ochr economaidd gymdeithasol, fe rown i'r bai ar yr amlygrwydd unochrog a roddwyd i "draddodiad uchelwrol Cymru'r Oesau Canol"; ar yr ochr wleidyddol, i arswyd rhai aelodau amlwg rhag cytuno â Lloegr mewn dim oll, ac yn arbennig ar rai pethau a ddywedwyd yng nghyhoeddiadau'r Blaid am y Rhyfel Cartref yn Sbaen. Yn anffodus, pan geisiwyd rywbryd gael gan y Blaid ddiffinio'i hagwedd at yr helynt hwnnw, gwrthodwyd y cais: yn anffodus, am fod rhyddid felly i rai sgrifenwyr gyhoeddi syniadau personol ym mhapurau'r Blaid a chreu'r argraff anghywir fod y syniadau hynny'n "swyddogol". Wedi cymaint o flynyddoedd, mae'n anodd gwybod i ba raddau yr oeddem ni ar y Chwith yn camddeall yr hyn a sgrifennid yn y *Ddraig Goch* a'r *Nationalist* am y pwnc hwnnw; mae'n sicr fod y papurau'n hawdd eu camddeall. Wrth sôn am waith y Blaid yn gwrthod derbyn ymddiswyddiad Saunders Lewis o'r llywyddiaeth wedi iddo ymuno ag Eglwys Rufain, dywedodd J.E. Jones:[7]

> Oni bai i un neu ddau o'i ddilynwyr weithredu a siarad yn ffôl ar ôl hynny, efallai na byddai gelynion rhyddid Cymru wedi ymroi i ddrygu'r Blaid trwy wneud môr a mynydd o fod Llywydd y Blaid yn Babydd.

Yr oedd rhai o'r dilynwyr hynny (*nid* Saunders Lewis ei hun), dan ddylanwad rhai o Rufeinwyr adweithiol y Cyfandir, yn ymddangos fel petaent yn derbyn Cristnogaeth Franco; yr oeddent yn hwylus anghofio Cristnogaeth y Basgiaid, a oedd yn cefnogi'r Weriniaeth a roesai iddynt fesur o ymreolaeth.

[7]   *Tros Gymru* 155.

Agwedd arall ar yr un ymddiofrydu rhag dim a arddelid yn Lloegr oedd yr esgusodi ar imperialaeth Siapan yn Sina: gwell, meddi, i Sina fod dan ormes imperialaeth Siapan nag eiddo'r Gorllewin, a haerid fod y ddwy wlad o ddiwylliant cyffelyb. Ni ddaeth neb allan i droi'r stori'n ddameg o berthynas Lloegr a Chymru; ond pan aeth y *Ddraig Goch* i wyngalchu'r brad yn Siecoslofacia, cafwyd ateb deifiol ar ffurf dameg o'r fath, gan R.Ll. Huws, yr arlunydd o Fienna, Llundain, a Llanfairpwll. Pethau bach, efallai, oedd y rhain; ar y pryd, yr oedd rhai ohonom yn eu gweld yn rhwystrau mawr ar ffordd y gwaith o argyhoeddi crynswth pobl Cymru: yn gam neu'n gymwys, byddai'r rheini'n eu dehongli'n anffafriol i'r Blaid yr oeddem yn ceisio'u hennill iddi. Yr oeddwn innau ar y pryd yn gyd-olygydd y misolyn *Heddiw*, ac mewn cysylltiad agos â Prosser Rhys, golygydd y *Faner*; bu'r ddau gyhoeddiad drwy gydol y cyfnod hwn yn amddiffyn safbwynt y Chwith ac yn ceisio cywiro'r gam-argraff a roddai papurau swyddogol y Blaid, nes i rywrai ddechrau galw "Yr Ymosod ar y Blaid" ar ein gwaith. Ond llwyddwyd i ddangos nad ar y Blaid yr oedd yr ymosod, eithr ar ddatganiadau anghyfrifol rhai o'i haelodau amlwg, ac yn yr Ysgol Haf yn 1938 profodd Saunders Lewis ei fod ef, beth bynnag am ei ddilynwyr, yn gyfrifol. Fel y dywedwyd eisoes, gostegwyd y storm a allasai godi a chwalu'r Blaid.

Er hynny, yr oeddwn yn credu ar y pryd, ac rwy'n dal i gredu (nid heb beth amheuaeth) fod peth bai ar Saunders Lewis am y cyflwr ar bethau a wnaeth yr holl gamddeall yn bosibl. Yn un o'i *Ysgrifau Dydd Mercher*, "Ffrainc cyn y Cwymp", mae ef yn sôn am syniad y llenor Ffrangeg am *le métier:*[8]

> Gwneud llyfr, corffori a chyd-drefnu ei syniadau a'i brofiadau yn gyfan-waith, llunio peth gorffenedig, boddhaol, a'i unoliaeth yn amlwg ac yn llwyr, dyna nodau'r llenor a feistrolodd ei grefft, ei *'métier'*. . . Mi hoff-wn ofyn, pa lenorion ifainc Cymraeg heddiw sy'n myfyrio ac yn paratoi, nid ysgrif neu ddwy i syllu darllenwyr cylchgrawn am dro, eithr llyfr, gwaith gorffenedig?

Ac yn 1938 mi hoffaswn innau ofyn, pa wleidyddion ifainc Cymraeg oedd yn myfyrio llyfr, gwaith gorffenedig —ar ymreol-aeth; efallai mai "Gwynfor Evans" fuasai'r ateb. Ond a oedd-wn i'n ddiniwed (dyna'r lle y mae'r amheuaeth yn dod i mewn

---

[8] Saunders Lewis, *Ysgrifau Dydd Mercher* (Aberystwyth, 1945), 12.

yn awr) wrth dybio y dylai Saunders Lewis wneud llyfr, corffori
a chyd-drefnu ei syniadau a'i brofiadau yn y gyfanwaith, llunio
peth gorffenedig, boddhaol, a'i unoliaeth yn amlwg ac yn llwyr?
Efallai fy mod yn ddiniwed, ond yr oeddwn yn y cyfnod
hwnnw'n dyheu am rywbeth llawnach na dim a oedd ar gael ar
y pryd. Nid meddwl am Saunders Lewis fel Moses yn ceisio
arwain Cymru o'r Aifft yr oeddwn, na disgwyl y Pum Llyfr o'i
law (er inni gael y Deg Gorchymyn yn y "Deg Pwynt Polisi");
mae'n debyg mai rhan Cora, Dathan, ac Abiram a ddaethai i mi
yn y Pum Llyfr. Ond yr oeddwn yn gweld eisiau mynegiant
llawnach ar y weledigaeth genedlaethol na dim a oedd ar gael;
fel yr awgrymwyd eisoes, yr oedd rhai o'r gosodiadau mewn
datganiad fel y "Deg Pwynt Polisi" yn gamarweiniol yn eu ffurf-
iau cryno.

Dyna fi wedi bod yn weddol feirniadol, a chyn dod at fy
nheyrnged i Saunders Lewis, rhaid ceisio crynhoi'r feirniadaeth.
Gellir ei rhoi mewn brawddeg fer: nid oedd Saunders Lewis yn
wleidydd. Canmoliaeth iddo yw hynny, ar y cyfan; mae'n
golygu nad oedd e'n ddigon bydol-ddoeth i fanteisio ar bob
cyfle gwleidyddol nac i fynegi ei syniadau yn y ffordd fwyaf
deniadol. Ond rhaid imi ychwanegu fy mod yn ei weld ef o hyd
yn rhy barod i feirniadu'r Blaid heddiw am ei bod hi'n wleid-
yddol, a hithau bellach yn byw mewn awyrgylch cwbl wahanol.
Bellach mae gan y Blaid gyfle i weithredu'n effeithiol o fewn y
fframwaith gwleidyddol presennol (er ei bod yn ceisio'i newid
yn sylfaenol), ac mae'n rhan bwysig o'r paratoad ar gyfer newid
y fframwaith ein bod yn dysgu gweithredu felly. Yn y 30'au,
ar y gorwel pell yr oedd pob gobaith am weithredu'n effeithiol y
tu mewn i'r fframwaith, ac athronydd gwleidyddol fel Saunders
Lewis oedd yr arweinydd gorau. Creu cenedlaetholwyr oedd yr
angen yn 1938; codi'r to mawr cyntaf o genedlaetholwyr oedd
camp Saunders Lewis, a dyna'r gamp sy'n haeddu'n teyrnged ni.

Mae'n amheus gennyf a yw Mr Lewis ei hun yn sylweddoli'r
gamp; a dof yn ôl at hynny ar ôl cyfeirio at dystiolaeth sy'n
dangos fod y gamp wedi'i chyflawni erbyn diwedd y 30'au.
Gŵyr pawb yn y Blaid am ran y diweddar Athro Henry Lewis
ym mhenderfyniad Coleg Abertawe i beidio ag ail benodi Mr
Lewis i'w swydd; nid pawb sy'n gwybod fod yr Athro am

flynyddoedd yn weithgar iawn gydag Urdd Gobaith Cymru, ac i'w weithgarwch lacio wedi 1937 am fod nifer dda o weithwyr ieuainc yr Urdd yn amharod i gyd-weithio â chyn-bennaeth Saunders Lewis. Dyma ffaith arall, heb yr adflas personol hwnnw: prinder swyddogion Cymraeg eu hiaith yn y catrodau Cymreig yn yr ail Ryfel, am fod cymaint o'r graddedigion ieuainc, o'r math a aeth yn swyddogion yn y Rhyfel cyntaf, bellach yn ormod o genedlaetholwyr i ymuno â byddin Lloegr; er bod llawer ohonom yn gwrthod ar dir pasiffistaidd hefyd, nid oedd gwahanu i fod rhwng ein cenedlaetholdeb a'n pasiffist-iaeth.

Yn ôl yn awr at Saunders Lewis. Adeg ei ben-blwydd yn bedwar ugain oed, llwyfannwyd rhaglen ddrama yn deyrnged iddo, a geiriau o'r eiddo ef ei hun yn ddiweddglo:[9]

> Yr oedd gen i awydd, nid awydd bychan, awydd mawr iawn i newid hanes Cymru. I newid holl gwrs Cymru, a gwneud Cymru Gymraeg yn rhywbeth byw, cryf, nerthol, yn perthyn i'r byd modern. Ac mi fethais yn llwyr.

Dyna'r diweddglo; ond yng nghorff y rhaglen yr oedd golygfa yn llys Caernarfon, ac fel y perfformiwyd y rhaglen, yr oedd y llys yn eithaf distaw wedi i flaenor y rheithwyr ddweud iddynt fethu â chytuno, ac i'r barnwr ddweud yr âi'r achos ymlaen i'r brawdlys nesaf. Ond o droi at yr hanes yn *Tân yn Llŷn*[10] fe welir fod sŵn y dorf oddi allan, yn canu *Hen Wlad fy Nhadau*, wedi boddi pob siarad yn y llys am funudau. Tebyg na lwydd-odd Saunders Lewis i newid Cymru fel y dymunai; ond mae holl hanes Penyberth a'r blynyddoedd a ddilynodd, yn brawf iddo newid Cymru, iddo newid holl gwrs Cymru, a rhoi iddi weledigaeth a wna'n bosibl Gymru Gymraeg sy'n rhywbeth byw, cryf, nerthol, yn perthyn i'r byd modern.

---

[9] Emyr Humphreys, *Cymod Cadarn, Llwyfan*, rhif 9, tud. 39, 30. Yn y testun argraffedig, dilynir geiriau'r barnwr â "Llef y dorf o bell a chytgan Hen Wlad fy Nhadau"; ond distawrwydd a'i dilynodd yn y perfformiad a welais i.

[10] tud. 152-3.

A.O.H. Jarman

Y BLAID A'R AIL RYFEL BYD

Wrth edrych yn ôl ar hynt y Blaid yng nghyfnod yr Ail Ryfel Byd un peth sydd yn taro dyn yn bendant iawn a hynny yw'r gwahaniaeth mawr rhwng sefyllfa'r Blaid yr adeg honno a'i sefyllfa heddiw, a'r gwahaniaeth rhwng y problemau a'i hwynebai y pryd hwnnw a'r problemau sy'n ei hwynebu heddiw. O'r safbwynt hwn, traethu hanes y byddaf yn y ddarlith hon, hanes digon academaidd, ond hanes diddorol i ni i gyd, er hynny, am ei fod yn rhan o hanes Cymru ac o hanes y mudiad cenedlaethol. A gellir canfod hefyd er gwaethaf pob gwahaniaeth, yr elfen o barhad. Gosodwyd i lawr egwyddorion sylfaenol y Blaid yn ystod y pymtheng mlynedd cyn y rhyfel. Bu'r rhyfel ei hun yn gyfnod o brawf arnynt. Credaf y gellir dweud iddynt oroesi'r prawf arbennig hwnnw, a'n bod yn dal i lynu wrthynt yn eu hanfodion hyd heddiw.

Yr egwyddor sylfaenol, wrth gwrs, oedd nad oedd dim o sylwedd i'w ennill wrth ymglymu â'r pleidiau gwleidyddol Prydeinig, neu Seisnig, y Ceidwadwyr a'r Rhyddfrydwyr a'r Blaid Lafur, a bod yn rhaid i Gymru wrth ei mudiad cenedlaeth-ol annibynnol ei hun. Yr oedd hwn yn syniad newydd sbon pan gorfforwyd ef ym mholisi'r blaid genedlaethol newydd gan Saunders Lewis ac Ambrose Bebb a'u cymheiriaid yn 1925. Gwir fod Emrys ap Iwan a Michael D. Jones wedi argymell cychwyn mudiad cenedlaethol annibynnol ar bleidiau gwleid-yddol Lloegr, ond ni wnaethant ddim i droi'r delfryd hwn yn ffaith. Cafodd Thomas Edward Ellis a David Lloyd George, efallai, fflach o weledigaeth ar y posibiliadau, ond llwybr arall a ddewiswyd ganddynt hwy, sef ceisio dylanwadu ar y Blaid Ryddfrydol o'r tu mewn. A diweddodd y cais hwnnw mewn seithugrwydd.

Eto yr oedd gan Tom Ellis a Lloyd George o'u blaenau esiampl y Blaid Seneddol Wyddelig yn nyddiau grymus Parnell. Plaid oedd honno a ymroddai gydag unplygrwydd llwyr i ddefnyddio'r peirianwaith gwleidyddol Seisnig i hyrwyddo'r un amcan a oedd ganddi, sef ennill ymreolaeth i Iwerddon. Y tebyg yw fod arweinwyr Mudiad Cymru Fydd wedi canfod yn ddigon clir nad oedd y llwybr a droediai'r Gwyddyl yn bosibl i wleidyddion Cymreig y dydd. Golygai aberthu gyrfa a mynd i'r anialwch politicaidd. Yn hynny yr oeddynt yn gywir. Yr oedd Cymru diwedd y ganrif ddiwethaf a dechrau'r ganrif hon wedi ei Phrydeineiddio mor llwyr fel nad oedd gobaith ei chael i ddeall dadl dros gymhwyso polisi Parnell at Gymru. Dangoswyd hynny gan y modd ecstatig y dilynodd Cymru yrfa Lloyd George fel gwleidydd Prydeinig a chan ei hymroddiad llwyrfryd i dywallt gwaed ei meibion yn Rhyfel 1914-18. Pan ddaeth cyfnod y dadrithiad ar ôl y rhyfel yr oedd parlys meddyliol wedi meddiannu'r Cymry. Daliodd llawer ohonynt i lynu wrth Lloyd George gan fodloni i fyw ar emosiwn y gorffennol, neu gan obeithio hyd y diwedd y byddai'r hen wron yn gallu gwneud rhywbeth dros Gymru. Troes eraill at athrawiaethau gwleidyddol nad oedd ganddynt unrhyw le i'w roi i Gymru fel cenedl.

Mewn cyfwng fel hwn y sefydlwyd y Blaid Genedlaethol Gymreig gan genhedlaeth newydd o arweinwyr yn 1925 a'r neges newydd, wefreiddiol o newydd mewn gwleidyddiaeth Gymreig, a bwysleisiwyd ganddynt oedd fod gyrfa boliticaidd yn rhywbeth i ymwrthod ag ef. Eu tasg oedd adfywio'r ymwybod cenedlaethol Cymreig, faint bynnag a gostiai hynny. Gwaith anodd, ac araf, oedd dysgu'r Cymry i feddwl fel cenedl. Rhaid oedd bodloni ar dwf araf, ond iddo fod yn gyson ac yn sylweddol. Ni thalai ceisio ailadrodd llwyddiannau arwynebol a diflanedig y Rhyddfrydwyr. Er mwyn gosod sylfaen ddiogel i fudiad cenedlaethol newydd yr oedd cyfnod yn yr anialwch yn anochel. Dyna oedd argyhoeddiad yr arweinwyr cyntaf.

Y canlyniad oedd mai mudiad bychan, cyfyng ei ddylanwad, oedd y Blaid yn 1939, er bod pedair blynedd ar ddeg wedi mynd heibio er ei sefydlu. Mae'n wir ei fod yn ddigon adnabyddus. Yr oedd un digwyddiad yn ei hanes wedi ei ddwyn i sylw'r lliaws, sef llosgi'r Ysgol Fomio yn 1936 a'r treialon a ddilynodd hynny. Am rai misoedd yr oedd newyddion am y Blaid a'i harweinwyr yn cael lle amlwg iawn, o dro i dro, ar dudalennau blaen y papurau dyddiol ac ar y radio. Ni buasai erioed gyfarfod tebyg i'r cyfarfod ym Mhafiliwn Caernarfon i groesawu'r Tri yn ôl o garchar yn 1937, ac eithrio rai troeon efallai yn hanes Lloyd George flynyddoedd yn gynharach. Ond ychydig oedd o ddealltwriaeth o wir ystyr llosgi'r ysgol fomio. Gweithred genedlaethol oedd honno, nid gweithred basiffistaidd, er bod ynddi ymhlygiadau hefyd o feirniadaeth ar bolisi tramor. Ei hamcan oedd amddiffyn y gymdeithas Gymraeg ei hiaith yn Llŷn ac Eifionydd, a thrwy hynny'r gymdeithas Gymraeg oll, rhag ei difodi yn sgil darpar-iaethau milwrol y wladwriaeth fawr yr oedd Cymru wedi'i chorffori ynddi. At hyn yr oedd yn brotest yn erbyn defnyddio tir Cymru i hyrwyddo polisïau milwrol ymerodrol, —oblegid yr oedd Llywodraeth Lloegr yn defnyddio awyrennau bomio i wastrodi llwythau gwrthryfelgar ar ffiniau'r India, ac wedi gwrthod ymwadu â'r erfyn hwn mewn cynadleddau cydwladol ar ddiarfogi yn ystod y tridegau. Bu ymateb ffafriol i weithred y tri a losgodd yr ysgol fomio mewn llawer cylch yng Nghymru yn ystod 1936-37, ond y tebyg yw fod mwy o ddiddordeb yn ymhlygiadau gwleidyddol cydwladol y weithred nag a oedd yn-ddi fel ymdrech i amddiffyn yr iaith Gymraeg rhag difodiant. Cymharol ychydig o bobl yn y tridegau —yn wahanol i heddiw —a welai'r iaith Gymraeg yn achos digonol i weithredoedd o dor cyfraith er mwyn ei diogelu.

Cyfnod oedd y tridegau pan oedd pawb wedi hoelio eu bryd ar broblemau ffasgaeth a chomiwnyddiaeth, democratiaeth, militariaeth a phasiffistiaeth, a'r haniaethau hynny oedd y llinyn mesur a gymhwysid at bob act wleidyddol. Ac fel yr oedd y blynyddoedd o 1936 yn dirwyn ymlaen yr oedd yr argyfwng yn Ewrob yn dwysáu. Rhyfel Sbaen ac ymyriad yr Almaen a'r Eidal yn y wlad honno, ymrodidiad yr Eidal ar Abysinia, uniad Awstria â'r Almaen, bygythiad yr Almaen i Tsiecoslofacia a Chytundeb Munich a'r bygwth wedyn i wlad Pwyl, —dyna'r orymdaith o gyffroadau a ddaeth i bwyso ar feddyliau pobl ac i ymlid mater yr ysgol fomio o'u hymwybod. Os edrychir trwy bapurau a chylchgronau'r Blaid yn y cyfnod hwn fe geir eu bod yn llawn o gyfeiriadau a thrafodaethau ar y materion hyn. Buont yn achos i beth anghytundeb ymhlith aelodau'r Blaid ynghylch yr agwedd briodol i'w chymryd tuag atynt.

Nid rhyfedd felly, pan dorrodd y rhyfel allan yn nechrau Medi 1939, mai'r broblem fawr a wynebai'r Blaid oedd, beth oedd ei hagwedd ato? Beth a gynghorai hi i'w haelodau i'w wneud yn wyneb consgripsiwn milwrol a diwydiannol? Ac yn arbennig iawn, beth a allai hi ei wneud, —nid i ennill rhyddid i Gymru, oblegid yr oedd hynny yn gwbl annichon yn y fath amgylchiadau, —ond i amddiffyn Cymru rhag anrhaith y rhyfel ar ei bywyd? Hynny, a hynny'n unig, a bwysai ar feddyliau arweinwyr ac aelodau'r Blaid yn ystod blynyddoedd cyntaf y rhyfel. Fel y tynnai'r ymladd i'w derfyn, wrth gwrs, yr oedd cynllunio ar raddfa ehangach a mwy uchelgeisiol yn bosibl unwaith eto.

Gellir crynhoi hanes ffeithiol y Blaid yn ystod y rhyfel i le go fyr. Y mae'r ffeithiau i'w cael, yn wir, ym mhenodau olaf llyfr y diweddar J.E.Jones, *Tros Gymru*. Yn ôl y ffigurau a roir yno yr oedd gan y Blaid 3750 o aelodau cofrestredig ar ddechrau'r rhyfel a 6050 ar ei diwedd. Cynyddodd y nifer o ganghennau byw o 119 i 150. Cododd y cyfraniadau i Gronfa Gŵyl Ddewi o £87 1939 i £2181 yn 1945, ac yn y flwyddyn olaf hon hefyd casglwyd £2009 at y Gronfa Etholiadol. Cynyddodd cylchrediad y *Welsh Nation* o 1183 i 2010, ond lleihaodd y *Ddraig Goch* o 6628 i 3370. Y rheswm a roir am y gostyngiad hwn yw fod yr arfer o werthu'r *Ddraig* ar y strydoedd wedi peidio yn wyneb gwahanol anawsterau. Cynhaliwyd Ysgol Haf weddol fychan ym Mangor yn 1939, yn union cyn cychwyn y rhyfel ac i bob pwrpas dan ei gysgod, ond yn wyneb anawsterau ynglŷn â theithio, dogni, llogi neuaddau a phroblemau eraill, ni bu'n bosibl cynnal ysgolion haf yn 1940 na 1941. Yn lle hynny, cynhaliwyd cynadleddau undydd yn Aberystwyth. Cynhaliwyd Ysgol Werin fechan, er hynny, yn Ystalyfera yn 1941, ac yn 1942 dychwelwyd at yr hen drefn a chynhaliwyd Ysgol Haf niferus a llwyddiannus yn Llanbedr Pont Steffan. Dilynwyd hon gan Ysgol Haf Caernarfon yn 1943, Caerffili yn 1944 a Llangollen yn 1945.

Yn ysgol Haf Bangor, 1939, ymddiswyddodd Mr Saunders Lewis o lywyddiaeth y Blaid ar ôl dal y swydd er 1926, ac

etholwyd J.E.Daniel yn Llywydd. Parhaodd ef yn y llywydd-
iaeth hyd 1943 pryd yr ymddiswyddodd ac yr etholwyd Abi
Williams yn Llywydd. Yn 1943 hefyd yr etholwyd Mr Gwynfor
Evans yn Is-lywydd, ac ymgymerodd ef â'r llywyddiaeth pan
ymddiswyddodd Abi Williams yn 1945. J.E.Jones, wrth gwrs,
oedd Ysgrifennydd a Threfnydd y Blaid trwy'r cyfnod hwn a bu
ganddo nifer o swyddogion taledig yn cynnwys rhai fel Miss
Priscie Roberts, Miss Marion Eames, Oliver Evans, J.W.Jones a
Wynne Samuel. Yng Nghaernarfon yr oedd Swyddfa Ganolog y
Blaid ond yn 1944 penderfynwyd ei symud i Gaerdydd. Ni
lwyddwyd i sicrhau lle i'r swyddfa yno hyd ddiwedd 1946.

Yr oedd peth ymrafael wedi datblygu yn y Blaid erbyn hyn
ynghylch lleoliad ei swyddfa. Yr oedd y ffaith mai yng
Nghaernarfon y gweithiai ei hysgrifennydd a'i phrif drefnydd
yn adlewyrchu dechreuadau'r Blaid fel mudiad yn y dref a'r fro
honno a'r gwreiddiau dwfn a oedd ganddi yng Ngwynedd.
Dadleuai rhai, megis yn arbennig D.J.Davies, Pantybeiliäu, fod y
Blaid yn gwario gormod o'i hadnoddau ar yr ardaloedd Cymraeg
gan esgeuluso'r rhanbarthau poblog Seisnigedig yn y De-
ddwyrain. Cyn y gallai'r Blaid fod yn rym yng Nghymru ac
ennill iddi'i hun yr hawl i lefaru dros Gymru gyfan, fe ymresym-
id, byddai'n rhaid iddi ennill yr ardaloedd di-Gymraeg, a golygai
hynny symud prif ganolfan ei threfniadaeth yno. Dadleuai D.J.
Davies, yn wir, fod yr ardaloedd Seisnig yn barotach i dderbyn
nesges y Blaid na'r ardaloedd Cymraeg, oblegid yr ymdeimlad o
wacter a geid ynddynt trwy golli'r iaith, a bod ffyniant yr iaith
yn yr ardaloedd Cymraeg yn fagl ac yn rhwystr i'w datblygiad
politicaidd i gyfeiriad cenedlaethol. Efallai, fe'i clywais yn
honni, y byddai'n rhaid i Gymru fynd fel Iwerddon a cholli'i
hiaith cyn y cyffroid hi i adweithio yn erbyn y golled ac i droi
at genedlaetholdeb. Credaf ei fod wedi lliniaru peth ar y farn
eithafol hon ymhen amser, ac nid yw datblygiadau'r blynydd-
oedd diweddar yn ategu ei chywirdeb.

Ychydig o brofiad o etholiadau a oedd gan y Blaid ar
ddechrau'r rhyfel. Ymladdasai am un sedd yn 1929, am ddwy
yn 1931, ac am un eto yn 1935. Ei phleidlais uchaf o ran rhif
oedd y 2,534 a enillodd J.E.Daniel yn Sir Gaernarfon yn 1935.
Yn 1943 ymladdodd Saunders Lewis etholiad achlysurol y

Brifysgol, yr oedd wedi ei hymladd o'r blaen yn 1931. Yn Ebrill a Mai 1945 ymladdwyd etholiadau achlysurol ym Mwrdeisdrefi Arfon ac yng Nghastell Nedd gan J.E.Daniel a Wynne Samuel, a chan eu bod yn ymladd yn erbyn Llywodraeth Goalisiwn derbyniasant bleidleisiau rhesymol o dda, 6,884 yn y naill achos a 6,290 yn y llall. Yn etholiad cyffredinol 1945 ymladdodd y Blaid am wyth sedd, gan gystadlu yn erbyn ymgeiswyr o bob plaid, a chafodd 16,447 o bleidleisiau. Yr etholiad hwnnw, mewn gwirionedd, oedd dechrau ei gyrfa fel plaid wleidyddol yn anelu at gyrraedd ei nod trwy gyfrwng etholiadau. Collodd ei hymgeiswyr oll eu hernes ac eithrio'r Dr Gwenan Jones, a ymladdai yn y Brifysgol.

Un peth y llwyddodd y Blaid i'w wneud yn gymharol ddirwystr yn ystod y rhyfel oedd cyhoeddi ei barn a'i safbwynt mewn papurau, pamffledi a llyfrynnau. Hyd at 1939 yr oedd wedi cyhoeddi ugain o bamffledi, a'r olaf o'r rhain oedd *Can Wales Afford Self-Government?* gan D.J. a Noelle Davies. Hwn oedd y llawlyfr a oedd wrth law aelodau'r Blaid am flynyddoedd pan ddadleuent y byddai hunanlywodraeth yn fuddiol yn economaidd. Yn ystod blynyddoedd y rhyfel ei hun llwyddodd y Blaid i gyhoeddi, nid yn unig ei dau bapur misol yn ddi-fwlch, ond hefyd dri ar ddeg ar hugain o bamffledi. Dyma un o'r materion y rhoes y Trefnydd, J.E.Jones, fwyaf o sylw iddo a chryn orchest ar ei ran oedd ei lwyddiant i gyhoeddi a gwasgaru cymaint o ddefnydd. Ymhlith y pynciau a drafodid yn y pamffledi hyn yr oedd dyfodol y diwydiant alcam, Deiseb yr Iaith, trosglwyddo gweithwyr o Gymru i Loegr, status Sir Fynwy, cynllunio trydan, silicosis, Cyngor Undebau Llafur i Gymru ac ad-drefnu wedi'r rhyfel.

Eto rhaid cofio mai mudiad bychan iawn, mudiad lleiafrif bach, oedd y Blaid yn ystod y rhyfel. Ar y gorau, rhai miloedd yn unig o bobl a oedd yn ymddiddori yn ei hynt. I'r mwyafrif llethol, os gwyddent amdani o gwbl, rhywbeth od ydoedd, eithriadol, eithafol, y tu allan i lif normal bywyd, a orfodid ar eu sylw o bryd i bryd gan ddarn o newydd neu ddatganiad yn y wasg neu ar y radio. I'r ychydig a weithiai yn y Blaid, wrth gwrs, yr oedd ei helynt a'i delfrydau yn llanw eu bryd yn llwyr o ddydd i ddydd. Ond o groniclo ei hanes yn ystod y cyfnod hwnnw fe geir mai'r hyn sydd bwysicaf yw, nid ei ddylanwad politicaidd cyffredinol (oblegid bychan ydoedd) ond twf ei syniadau a'r modd y ceisiodd ei harweinwyr lunio a diffinio safbwynt ac agwedd Gymreig tuag at argyfwng y dydd.

Yn Ionawr 1939 dywedodd Mr Saunders Lewis ei fod yn "amheus a ddaliai'r Blaid trwy gyfnod y rhyfel". Ac yn awr, ar ddechrau Medi, wele hi'n wynebu'r prawf hwnnw, a hynny ar ganol un o'r argyfyngau mwyaf yn hanes diweddar Ewrob. Pa ganllawiau a oedd gan y Blaid i'w chynorthwyo i wynebu'r sefyllfa? Pa batrymau a oedd ganddi ar gyfer ei hymddygiad? Ychydig iawn, o fewn cyd-destun hanes Cymru ei hun. A ddylai hi fynd gyda'r lli, rhoi ei hamcanion ei hun ar y silff am y tro, ac ymroi'n llwyr i hyrwyddo'r ymdrech ryfel? Ai ynteu, a ddylai hi dorri llwybr newydd o'i heiddo ei hun, mynd yn groes i'r mwyafrif a dioddef yr amhoblogrwydd a fyddai'n dilyn yn anochel o hynny?

Yr oedd Cymru wedi rhoddi cefnogaeth lawn i Ryfel 1914-18, a'i harwr gwleidyddol ei hun, David Lloyd George, yn bennaeth buddugoliaethus ar yr ymdrech. Yr oedd yr ychydig a wrthododd roddi gwasanaeth milwrol yn y rhyfel hwnnw wedi dioddef dirmyg ac erledigaeth, a charchar gan amlaf. Sail eu gwrthsafiad yn ddieithriad oedd naill ai basiffistiaeth Gristnogol neu egwyddorion sosialaeth gydwladol. Gwrthwynebiad o fewn fframwaith Prydeinig ydoedd bob amser.

Datguddir egin meddwl gwahanol, er hynny, yn nofel Gwenallt, *Plasau'r Brenin*, a gyhoeddwyd yn 1934. Nofel hunangofiannol yw, a Myrddin Tomos, y prif (a'r unig) gymeriad, yw Gwenallt ei hun. Disgrifir ei brofiadau yn y carchar yn ystod y Rhyfel Byd cyntaf fel gwrthwynebydd sosialaidd i'r rhyfel. Brithir ei atgofion a'i fyfyrdodau gan gyfeiriadau at arwyr Iwerddon, yn enwedig wedi iddo ganfod fod carcharorion o Wyddyl wedi bod yn yr un gell ag ef o'i flaen. Mewn un man ceir y paragraff a ganlyn:

Buasai Myrddin Tomos, cyn ei ddwyn i'r carchar, yn y tribiwnaliaid milwrol yn dadlau dros ei bentrefwyr, ac yno y gwelodd gam-drin ei bobl uniaith gan swyddogion Seisnig y Llywodraeth. Tynnwyd ei gyfeillion a'i gyd-ddisgyblion oddi wrth yr aradr a'r oged, a'u gyrru, fel ŵyn mudion, o'r meysydd i'r Rhyfel Mawr; gwŷr ifainc heb gasineb yn eu calon at yr Almaenwyr. Lladdent werin yr Almaen yn nhân y gwlad-

CYMRU DAN DRAED

YMERODRAETH LOEGR

Pan â Lloegr i ryfel, rhaid i Gymru fynd gyda hi, chaiff Cymru fel cenedl benderfynu ar bolisi heddwch.

Bu rhyfeloedd ymerodrol Lloegr erioed yn ddinistr i Gymru.

TRETHI LLETHOL

Gwerir £106,000,000 y flwyddyn gan Loegr ar arfogaethau. <u>Gorfodir</u> Cymru i dalu ei chyfran tuag at y swm hwn. Golyga hyn wario <u>£200 y funud</u> ar ryfel.

Felly, allan o bob swllt o dreth a delir gennych, defnyddir wyth geiniog i dalu am ryfeloedd a fu ac a fydd.

EISIAU YMREOLAETH

BETH A GYST Y LLYNGES?

I Gymru	I Ganada
(am nad oes ymreolaeth).	(am fod ganddi ymreolaeth).
£1 2 6	**2 6**
y pen o'r bobl.	y pen o'r bobl.

Amcan yr holl wario hwn yw cynnal yr Ymerodraeth Seisnig. Yr Ymerodraeth hon yw ffynhonell holl dlodi Cymru

YMUNWCH Â

PLAID GENEDLAETHOL CYMRU

a rhyddhewch Cymru o'i gafaelion.

[Trosodd]

PAPUR IACHAWDWRIAETH CYMRU

"Y DDRAIG GOCH"

(2c. y mis).

O Swyddfa'r Blaid, Caernarfon.

Rhif 112 (60/g/24). Pris 6ch. y cant o Swyddfa'r Blaid Genedlaethol, Caernarfon, a'r cludiad yn ychwanegol,—cludiad ar 100, 3d.; ar 300, 6ch.; ar 500 hyd 900, 9c.; ar 700 hyd 1,000, 1s. Argraffwyd gan Hugh Evans a'i Fyt. Cyf., 356/360 Stanley Road, Liverpool 20, a chyhoeddwyd gan BLAID GENEDLAETHOL CYMRU.

o daflenni'r Blaid

Prin y mae angen gwell dehongliad o'r modd yr oedd y safbwynt cenedlaethol yn tyfu yng Nghymru rhwng y ddau ryfel na'r brawddegau llwythog hyn.

Os edrychir trwy rifynnau'r *Ddraig Goch* yn y blynyddoedd cyn yr ail ryfel fe welir mor aml yw'r moliannau i wrthryfelwyr y Pasg, 1916, yn Iwerddon, Pearse a Connolly a'u cymheiriaid. Un a gydweithiodd â hwy oedd Roger Casement, a aeth i'r Almaen i geisio sefydlu brigâd Wyddelig o'r carcharorion rhyfel o Wyddyl a oedd mewn caethiwed yn yr Almaen. Amcan y frigâd fyddai ymladd dros annibyniaeth Iwerddon. Cyn diwedd 1916 crogwyd ef fel teyrnfradwr gan yr awdurdodau Seisnig. Nid oedd neb wedi cyflawni gweithred fel hon yn enw Cymru ers dyddiau Owain Lawgoch yn y bedwaredd ganrif ar ddeg, na neb ar ôl Owain Glyndŵr wedi gweithredu fel y gwnaeth Pearse a Connolly. Y flwyddyn 1918 penderfynodd Llywodraeth Lloyd George estyn gorfodaeth filwrol i Iwerddon. Bu gwrthsafiad mawr yn erbyn y bwriad yno, a'r gweriniaethwyr a'r Blaid Seneddol Wyddelig yn uno â'i gilydd, ar y tir fod Iwerddon yn wlad wahanol i Loegr ac nad oedd yn iawn gorfodi un wlad i ymladd dros wlad arall. Dyna'r patrwm a'r cynseiliau a oedd gan y Blaid o'i blaen yn Iwerddon.

Yr oedd hefyd esiampl enwocach, os rhywbeth, a pharchusach yn sicr. Yn 1930 ysgirfennodd Mr Saunders Lewis erthygl helaeth yn y *Ddraig Goch* ar yrfa'r Arlywydd Tsiecaidd Thomas Masaryk, un o brif ladmeryddion a dehonglwyr cenedlaetholdeb democrataidd rhesymol a chymedrol ar gyfandir Ewrob. Gŵr oedd ef a oedd wedi gwneud yn union yr un peth ag y ceisiodd Casement ei wneud. Yr oedd Masaryk wedi llwyddo, Casement wedi methu. Gweithiodd Masaryk i chwalu'r Ymerodraeth Awstria-Hwngaraidd, a oedd yn cynnwys ei genedl ef, cenedl y Tsieciaid, a ffurfiodd fyddin o'r carcharorion Tsiecaidd a oedd wedi eu cymryd i gaethiwed gan y Rwsiaid. Heb amheuaeth, yr oedd yn euog o deyrnfradwriaeth yn erbyn y wladwriaeth yr oedd yn ddinesydd ohoni. Ond datgymalwyd yr hen ymerodraeth ac etholwyd Masaryk yn Arlywydd gwladwriaeth newydd

Tsiecoslofacia. Pe bai diwedd y rhyfel wedi bod yn wahanol, gallai Masaryk fod wedi diweddu ei oes ar y crocbren a Casement, pe bai wedi dianc, yn arlywydd ar Iwerddon unedig rydd.

Bu'r Blaid am flynyddoedd cyn 1939 yn ystyried beth a wnâi pe digwyddai rhyfel ar raddfa fawr, a dyna'r cynseiliau a oedd ganddi yn arweiniad iddi. Bu isbwyllgorau'n eistedd ar y mater, yn trafod memoranda ac yn cyflwyno eu barn i'r Pwyllgor Gwaith. Y diwedd fu mabwysiadu barn gytûn mai'r polisi i'w argymell ar Gymru, pa mor anodd bynnag fyddai hynny, oedd niwtraliaeth. Nid, sylwer, polisi Casement a Masaryk, nid y polisi a awgrymid gan yr hen slogan Wyddelig, "England's difficulty is Ireland's opportunity", nid cefnogi gelynion Lloegr, na hyd yn oed eu defnyddio er mwyn gwanhau Lloegr. Y farn oedd nad oedd Cymru mewn sefyllfa i ymyrryd yn y dull yna mewn gwleidyddiaeth gydwladol. Gwlad fechan ydoedd wedi ei dal yn ymrafaelion pwerau mawr. Safle anodd iawn oedd safle'r gwledydd bychain ar y gorau, hyd yn oed os oedd-ynt yn annibynnol, pan fyddai'r gwledydd mawr o'u cwmpas yn gwrthdaro, —meddylier am sefyllfa Iwerddon, Norwy, Sweden, Denmarc, Yr Yswistir, Belg, Holand, Ffinland. Iddynt hwy yr oedd peryglon rhyfel, —sef y perygl o ddifodiant llwyr, —yn anfeidrol fwy na'r peryglon i'r pwerau mawr. Yr oedd ad-waith greddfol, naturiol pob un i gyfeiriad niwtraliaeth, beth bynnag oedd eu barn am iawnderau polisïau'r gwahanol wledydd, er i nifer ohonynt fethu cadw eu niwtraliaeth heb ei threisio.

Gwyddai'r Blaid yn iawn nad oedd modd i Gymru ddilyn polisi o niwtraliaeth mewn gwirionedd. Nid oedd modd ei chadw allan o'r rhyfel. Nid oedd modd ei chadw rhag cyfrannu i ymdrech y Cynghreiriaid Gorllewinol. Safbwynt meddwl oedd niwtraliaeth, a feithrinid gan y Blaid ymhlith ei haelodau. Ac nid safbwynt yn unig, ond traethiad neu faentumiad o hawl, a'r hawl oedd hawl y genedl i ffurfio ei hagwedd a'i hymateb a'i pholisi ei hun tuag at y rhyfel, —yr hawl, mewn byr eiriau, i benderfynu drosti ei hun a fynnai hi ymyrryd yn y rhyfel ai peidio. Hawl go fawr oedd hon. Nid oedd modd ei throi'n ffaith yn y byd ymarferol. Mewn gwleidyddiaeth Gymreig yr oedd yn safbwynt newydd sbon. Nid oedd neb wedi dadlau dros y fath safbwynt yn ystod Rhyfel 1914-18. Yr hyn a hawl-iai'r Blaid i Gymru mewn gwirionedd oedd <u>sofraniaeth, sofran-iaeth yn yr ystyr fod gan y genedl fel person moesol yr hawl i benderfynu a oedd hi am ryfela yn erbyn cenhedloedd a gwled-ydd eraill ai peidio, a bod ganddi yr hawl ar fywydau a chyd-wybodau ei meibion</u> a'i merched yn y mater hwn. Golygai hyn hefyd wadu hawl unrhyw wlad arall, megis Lloegr, i orfodi'r Cymry i'w gwasanaethu'n filwrol. Yr oedd gwneud y fath hawl, wrth gwrs, yn mynd at weiddyn a sylfaen y berthynas rhwng Cymru a Lloegr, yn tanseilio'r berthynas honno, ac yn gosod i fyny deyrngarwch newydd yn lle'r teyrngarwch i'r wladwriaeth Brydeinig y disgwylid i bob Cymro, fel pob Sais, ei roddi a'i arddel yn rhinwedd ei ddinasyddiaeth.

Nid oedd obaith cael gan Lywodraeth Lloegr gydnabod hawl fel hon. Y mae'n amheus gennyf a sylweddolem yn y Blaid ar y pryd mor chwyldroadol oedd yr hyn a hawliem. Ond profiad pur chwerw oedd gweld y polisi y dadleuem drosto yn cael ei weithredu yn Chwe Sir Gogledd Iwerddon. Nid estynnwyd y Ddeddf Gonsgripsiwn i'r Chwe Sir. Wrth egluro a chyfiawn-hau'r polisi hwn yn y Senedd bu Winston Churchill yn ddigon call i beidio â chyfeirio at egwyddorion sylfaenol. Penderfyn-wyd peidio â chonsgriptio'r Gwyddyl o'r Chwe Sir, ebr ef, yn syml am na fyddai'n werth y drafferth o geisio gwneud hynny. Felly y dysgwyd i ni, o fewn cyd-destun ein hargyhoeddiadau ein hunain, a chan yr awdurdod pennaf yn y maes, mai grym sy'n cyfrif mewn gwleidyddiaeth, nid egwyddor.

Tybiem, yn wyneb hyn, pe gellid ffurfio mudiad cryf o wŷr ifainc o oed milwrol a wrthodai roddi gwasanaeth milwrol am eu bod yn Gymry, y gallem ddylanwadu ar bolisi'r Llywodraeth tuag at Gymru. Efallai, yn wir, y gallem fargeinio â'r Llywodraeth a dweud wrthi: "Nid ydym yn elyniaethus tuag atoch. Nid ydym yn cefnogi eich gelynion. Os cytunwch chwi i gydnabod Cymru'n genedl yn ystod y rhyfel, gan addo iddi fesur, o leiaf, o ymreolaeth ar ei derfyn, fe gytunwn ninnau i dynnu'n ôl ein gwrthwynebiad i wasanaeth milwrol gorfodol." Faint o wrthwynebwyr a fyddai'n ofynnol i safiad fel hyn fod yn effeithiol? Pum cant? Mil? Dwy fil? Pum mil? Rhagor na hynny, y mae'n debyg. Gwyddem mai fel yna y byddai cenedl ymwybodol o'i hunaniaeth yn gweithredu, ond gwyddem hefyd nad oedd y fath beth yn ddichonadwy yng Nghymru. Yr oedd Mr Saunders Lewis yn fwy o realydd pan ddywedodd: "Pe na bai ond deg o fechgyn ifanc yn cyhoeddi nad ymunant â byddinoedd Lloegr am mai Cymry ydynt . . . " Fe chwyddodd y mudiad i gryn nifer mwy na deg, ond nid digon i fod yn effeithiol yn wleidyddol. O ganlyniad, nid oedd dim i'w wneud ond gwneuthur safiad a derbyn y canlyniadau, beth bynnag fyddent.

Yr oedd y Ddeddf Gonsgripsiwn yn cydnabod gwrthwynebiad cydwybodol i wasanaeth milwrol, ac yr oedd y ddarpariaeth ar gyfer hynny'n llawer gwell nag ydoedd yn ystod rhyfel 1914-18. Yng Nghymru sefydlwyd dau dribiwnlys, un yn y Gogledd a'r llall yn y De, i wrando ar wrthwynebiadau, ac un Tribiwnlys Apêl i'r wlad gyfan. Yr oedd y drefn hon yn cydnabod Cymru'n uned ac yr oedd hynny, yn ogystal â'r ffaith fod modd trafod achosion yn y llysoedd hyn yn gyfan gwbl trwy gyfrwng y Gymraeg, ynddo ei hun yn fuddugoliaeth, ond profwyd yn amhosibl cael y tribiwnlysoedd hyn i gydnabod gwrthwynebiad i wasanaeth milwrol ar dir cenedlaethol Cymreig. Cymysglyd oedd ymdrechion y llysoedd yn y Gogledd a'r De i roi eu rhesymau dros y penderfyniad hwn, ond yn y Llys Apêl daliai Mr Rhys Hopkin Morris, yr unig gyfreithiwr ar y llys, fod yn rhaid i'r gwrthwynebiad fod i wasanaeth milwrol fel y cyfryw, nid dan amodau neilltuol. Daliodd yn gyndyn wrth y dehongliad hwn er i'r diweddar Farnwr ('Mr' y pryd hwnnw) Alun Pugh ddadlau'n rymus yn ei erbyn mewn un eisteddiad am tua awr o amser. Erbyn diwedd y drafodaeth yr oedd Hopkin Morris wedi rhoi'r gorau i ddefnyddio dadleuon. Y cyfan a wnâi oedd honni fod ei ddehongliad o'r gyfraith yn iawn. Troai'r cwbl o gwmpas dehongliad o eiriau'r ddeddf, ond mewn ystyr ddofn fe ddichon fod Hopkin Morris yn "iawn" oblegid byddai unrhyw ddyfarniad gwahanol yn tueddu i danseilio awdurdod y ddeddf ei hun.

Canlyniad dyfarniad y Llys Apêl oedd fod yn rhaid i bob gwrthwynebydd cenedlaethol naill ai ildio ac ufuddhau i'r alwad i archwiliad meddygol neu anufuddhau ac o ganlyniad gael ei gyhuddo o drosedd gerbron llys ynadon a'i anfon i garchar. Digwyddodd hyn i nifer ond yr achos mwyaf diddorol o'r cwbl oedd achos yn erbyn J.E.Jones, oblegid llwyddodd ef i droi'r byrddau'n llwyr ar yr awdurdodau. Ceir yr hanes ym mhennod 24 o'i lyfr *Tros Gymru*, dan y teitl *Gerbron Chwe Llys*. Dangosodd J.E.Jones i'r ynadon yng Nghaernarfon nad oedd raid iddynt anfon neb i garchar, hyd yn oed dan y ddeddf, am anufuddhau i'r alwad, ac y gallent ymfodloni ar ddirwy mewn enw yn unig. Dyna a wnaeth yr ynadon yno droeon yn achos J.E.Jones, ac wedyn mewn achosion eraill, oblegid yr oedd y fainc hon o'r farn fod anghyfiawnder yn cael ei wneud â'r cenedlaetholwyr. O'r diwedd gwylltiodd awdurdodau'r Weinyddiaeth Lafur yng Nghaerdydd, ac anfonasant fargyfreith-iwr o fri, Mr (wedyn y Barnwr) Arthian Davies i'r llys ynadon yng Nghaernarfon i erlyn J.E.Jones am y trydydd tro. Cam-gymeriad tactegol ar eu rhan oedd hyn. I'r ynadon bwli oedd y bargyfreithiwr yn dyfod at fodau israddol i'w dodi yn eu lle. Ar ddechrau'r gwrandawiad gwrthododd Arthian Davies annerch y fainc yn Gymraeg er i'r ynadon geisio hynny ganddo. Dywed-odd wrth y fainc eu bod yn gweithredu'n groes i ysbryd y ddeddf a rhybuddiodd hwy y gallai apêl at yr Uchel Lys fynd yn eu herbyn. Dangosodd J.E.Jones o'i ochr yntau fod Arthian Davies wedi camarwain y llys trwy roi gwybodaeth anghywir o'i flaen ynghylch achos arall tebyg, neu berthnasol, yn Lloegr. Diweddodd y cyfan fel o'r blaen, pumpunt o ddirwy a dyna'r cyfan. Dychwelodd y bargyfreithiwr pwysig i Gaerdydd a'i gynffon rhwng ei goesau.

Dylid pwysleisio yma nad oedd agwedd ymarferol y Blaid tuag at y rhyfel lawn mor syml ag yr awgryma'r hyn sydd wedi ei draethu uchod. Yr oedd ymhlith ei haelodau lawer a chanddynt argyhoeddiadau pasiffistaidd yn erbyn cymryd rhan mewn gweithgareddau milwrol, ar dir crefyddol neu foesol, neu weithiau hiwmanistaidd, a theimlent ei bod yn ddyletswydd arnynt fynegi'r argyhoeddiadau hyn, ochr yn ochr â'u safbwynt cenedlaethol. Byddai'r tribiwnlysoedd wedyn yn derbyn eu gwrthwynebiad ar dir pasiffistaidd ond yn anwybyddu eu hargyhoeddiadau fel cenedlaetholwyr ar y tir ei fod yn amherth-nasol. Yr unig genedlaetholwyr a ddygid yn y diwedd gerbron y llysoedd barn oedd, naill ai rai (fel J.E.Jones) nad oeddynt yn

basiffistiaid, neu rai, er iddynt fod yn basiffistiaid o argyhoedd-
iad, a oedd wedi seilio eu gwrthwynebiad ar y tir cenedlaethol
yn unig.

Yr oedd hefyd yn rhengoedd y Blaid lawer na dderbynient ei
pholisi o niwtraliaeth tuag at y rhyfel. Ni pheidient oblegid hyn
â bod yn aelodau ohoni, oblegid nid oedd derbyn y safbwynt a'r
polisi hwn wedi ei wneud yn amod aelodaeth. Ymunodd llawer
o'r rhain â'r lluoedd arfog Prydeinig, neu â gwasanaethau eraill,
gan gredu y dylid rhoi blaenoriaeth ar bopeth arall am y tro i'r
gorchwyl o drechu'r Almaen. Er bod cryn le, yn wyneb y
gwahanol safbwyntiau hyn, i anghytundeb ac yn wir i anundeb
ymhlith aelodau'r Blaid, ni ddatblygodd unrhyw fath o rwyg yn
ei rhengoedd mewn perthynas â'r rhyfel. Cadwodd y Blaid ei
hundod sylfaenol fel mudiad cenedlaethol trwy gydol y rhyfel
ac wedyn.

Trown yn awr at agwedd y Blaid, nid at fater gorfodaeth
filwrol a dyletswydd y Cymro unigol a safle Cymru fel cenedl,
ond at y rhyfel fel argyfwng cydwladol ac at bolisi Llywodraeth
Lloegr o ymladd hyd at fuddugoliaeth lwyr. Nid oedd modd
osgoi'r mater hwn. Y polisi a fabwysiadodd oedd galw'n gyson
am heddwch o gyfaddawd. Cydnabyddai mai heddwch
amherffaith fyddai hynny, ar y gorau, ond daliai y byddai'r
sefyllfa a greid trwy ymladd i'r pen yn waeth.

Ym marn arweinwyr y Blaid tarddai'r rhyfel yn union-
gyrchol o gytundebau heddwch dialgar Versailles ar ddiwedd y
Rhyfel Byd cyntaf, ac yn arbennig ragrith y Cynghreiriaid
buddugoliaethus yn 1919 yn gorfodi'r Almaen i'dderbyn yr holl
fai a chyfrifoldeb am achosi rhyfel 1914-18. Dalient fod
cyfrifoldeb am y rhyfel hwnnw ar yr holl bŵerau mawr a gymer-
odd ran ynddo, a bod hynny'n wir hefyd am yr Ail Ryfel Byd
yn gymaint ag mai ei achos sylfaenol oedd y camddosbarthiad
ar adnoddau'r ddaear fel canlyniad i dwf imperialaeth yn y
bedwaredd ganrif ar bymtheg. Adwaith yn erbyn hynny oedd
Ffasgaeth yn yr Eidal a Natsïaeth yr Almaen ac yn hytrach na
galw am wneuthur safiad milwrol yn erbyn traha'r Ffasgiaid, sef
y gri a glywid gan gymheiriaid mor annhebyg â'r elfen Chwith
yn y Blaid Lafur a Winston Churchill, mynnai'r Blaid y dylid
ceisio mynd at wreiddyn y drwg a oedd wedi tyfu'n ddolur mor

enbyd yn yr Eidal a'r Almaen. Condemniodd y Blaid ymgais
Anthony Eden i atal ymosodiad yr Eidal ar Abysinia fel polisi
rhagrithiol am fod hanes hir gan Loegr ei hun o ymyrryd yn
Abysinia ac o gytuno â gwledydd eraill, gan gynnwys yr Eidal,
i'w rhannu rhyngddynt.

Yr un pryd galwodd ar Lywodraeth Lloegr i gyflwyno ei
threfedigaethau i feddiant cydwladol fel cam cyntaf tuag at
fesur o gyfiawnder cydwladol. Os ymddengys hyn yn syniad
dieithr i ni heddiw, a'r holl hen drefedigaethau hynny bellach
yn wledydd annibynnol, dylid cofio fod yr Ymerodraeth yr
adeg honno'n cynnwys, nid yn unig y meddiannau Affricanaidd,
ond is-Gyfandir yr India, ac nad oedd le gan yr un o'r gwledydd
hyn i dybio ar y pryd fod eu rhyddid wrth y drws. Yr ystyr-
iaethau hyn a barai fod cenedlaetholwyr o Gymry yn amheus o
ryfel arall "dros ryddid gwledydd bychain". Yr amgylchiadau
hyn, yn eu barn hwy, oedd i raddau mawr wedi creu argyfwng y
dydd.

Un yn unig o arweinwyr y Blaid a anghytunodd â'i hagwedd
tuag at y rhyfel, sef Ambrose Bebb. Yr oedd ef, wrth gwrs, yn
un o'i sylfaenwyr ac wedi cyfrannu'n fawr tuag at ei thwf a'i
chynnydd, yn arbennig yng Ngwynedd. Buasai'n byw am
flynyddoedd yn Ffrainc a dilynai ysgol o feddwl Ffrengig, sef yr
Action Française, a ddaliai mai gwlad farbaraidd oedd yr
Almaen ac y dylid ei rhannu'n daleithiau di-rym, a chydnabod
Ffrainc nid yn unig fel calon diwylliant Ewrob ond fel ei phŵer
pennaf. Yr oedd edmygwyr eraill o wareiddiad Ffrainc ymhlith
y cenedlaetholwyr Cymreig ond nid arweiniwyd neb arall
ohonynt i'r un casgliadau â Bebb. Ciliodd Bebb o weithgarwch
y Blaid yn ystod y rhyfel, ond dylid pwyleisio nad ymosododd
ef ar y Blaid trwy gydol y cyfnod, er iddo anghytuno â hi.
Troes at waith arall, llenyddol gan mwyaf, ac ar derfyn y rhyfel
dychwelodd at waith gwleidyddol a safodd dros y Blaid am sedd
Sir Gaernarfon.

Y gŵr a lefarodd dros y Blaid a thros y safbwynt cenedlaeth-
ol Cymreig trwy flynyddoedd y rhyfel, wrth gwrs, oedd Mr
Saunders Lewis. Canlyniad ei ddiswyddo gan Gyngor Coleg
Abertawe yn 1937 oedd ei orfodi i chwilio am foddion eraill
i'w gynnal ei hun, ac un o'r moddion a ddewisodd oedd newydd-

iaduriaeth. Am ddeuddeng mlynedd o 1939 ymlaen ysgrifen-
nodd dudalen *Cwrs y Byd* yn *Y Faner*. Yn ystod y cyfnod hwn
cynhyrchodd agos i chwe chant o erthyglau ar faterion cydwlad-
ol a gwleidyddol a chyhoeddus a oedd i gyd yn ffrwyth astudio
a myfyrio, casglu gwybodaeth a chymhwyso egwyddorion.
Gwir mai gwybodaeth y stydi ydoedd, —y stydi yn Llanfarian,
—gwybodaeth o lyfrau a newyddiaduron, ac nid gwybodaeth
fewnol o fyd gwleidyddiaeth, a gwir y gellir ei chywiro'n ffeithi-
ol weithiau ac anghytuno â'r farn a fynegir. Er hynny, dyma'r
bennod ddisgleiriaf a fu erioed yn hanes newyddiaduriaeth
Gymraeg. Er bod y farn a fynegir bob amser yn bendant, y
mae'r ysgrifennu'n deg ac yn gymesur, yn ystyriol ac yn
rhesymedig. Yng ngholofn *Cwrs y Byd* ceisiwyd, yn llwyddian-
nus, ddangos i'r Cymry nad oedd raid iddynt gael eu hud-ddenu
gan bropaganda a rhagdybiau'r wasg a'r radio Saesneg ond fod
modd meithrin agwedd annibynnol Gymreig tuag at y rhyfel a
thuag at broblemau'r dydd, a honno'n aml iawn yn agwedd
wahanol i agwedd y Llywodraeth Seisnig. Efallai nad gormod
yw dweud mai tudalen *Cwrs y Byd*, ar y lefel ddeallol, oedd y
ffactor bwysicaf er cynnal yr ysbryd, y *morale*, cenedlaethol
trwy'r dyddiau duaf a phrinnaf o obaith i'r cenedlaetholwyr.
Hebddo buasai'r mudiad cenedlaethol yn llawer eiddilach peth
nag ydoedd ar ddiwedd y rhyfel. Yng *Nghwrs y Byd* maethwyd
y math o niwtraliaeth meddwl a oedd yn anhepgor os oedd
mudiad cenedlaethol i oroesi o gwbl.

Anodd yw dweud pa faint o ddylanwad a gâi *Cwrs y Byd* y
tu allan i gylch yr ychydig filoedd a ddarllenai'r *Faner*. Dywed-
ir fod swyddfa'r Sensor yn ymddiddori yng nghynnwys y golofn
ond mai'r penderfyniad y daethpwyd iddo oedd y byddai'n well
peidio ag ymyrryd â hi rhag galw sylw ati. Yn sicr, bu ymgyrch
ddigon trefnus i wrthwynebu dylanwad syniadau Saunders Lewis
ac i'w bardduo ef yn bersonol. Credir mai'r gŵr a oedd yn ben-
naf y tu ôl i hyn oedd y Dr Tom Jones, cyn-Ysgrifennydd y
Cabinet, Cymro Cymraeg galluog, sylfaenydd Coleg Harlech,
Llywydd Coleg Aberystwyth ar ôl y rhyfel, gŵr dylanwadol
iawn mewn lliaws o gyfeiriadau, a gymerodd arno ei hun fantell
amddiffynnydd y Sefydliad Prydeinig yng Nghymru yn erbyn y
cenedlaetholwyr.

Y cam cyntaf yn yr ymgyrch oedd cyhoeddi cyfres o bamffledi dan y teitl *Pamffledi Harlech*, llyfrynnau gan awdur-on o safon ar faterion cydwladol wedi eu hysgrifennu'n sobr a gwrthrychol ac yn rhydd oddi wrth unrhyw dueed neu *slant* ac eithrio rhagdybiau sylfaenol y Sefydliad Prydeinig. Symudiad gweddol ddiniwed oedd hwn ond tybid y byddai'n help i wrth-weithio dylanwad *Cwrs y Byd* ar y Cymry a ymboenai â'r peth-au hyn. Awdur un o'r pamffledi oedd D.Emrys Evans, a ysg-rifennodd ar "Wareiddiad y Gorllewin", a dilynwyd y pamffled hwn ganddo yn 1941 gan erthygl yn y *Llenor* dan y teitl, "Y Rhyfel a'r Dewis". Yr oedd y Prifathro yn ŵr o ddiwylliant eang a chyfrannodd yn fawr i'r diwylliant Cymraeg trwy ei ysg-rifeniadau ar bynciau clasurol a'i gyfieithiadau o'r Roeg i'r Gymraeg. Pan oedd yn Athro yng Ngholeg Abertawe yr oedd yn gyfaill i Saunders Lewis a mawr oedd edmygedd y naill o'r llall. Yr oedd ynddo, er hynny, fel yn y Dr Tom Jones, ddeu-oliaeth teyrngarwch, nodweddiadol efallai o'u cyfnod. Y mae'n werth cofio na thrafferthodd yr un o'r ddau i ddysgu'r Gymraeg i'w plant. I ni yn 1975 dyma, fe ddichon, y condemniad eithaf ar unrhyw Gymro Cymraeg.

Yn ei erthygl yn y *Llenor* dadleuodd dros y safbwynt gyffredinol fod trechu'r Almaen Natsïaidd trwy ryfel yn angen-rheidiol er mwyn parhad gwareiddiad ac y dylai Cymru ymuno yn y dasg fel rhan o'r wladwriaeth Brydeinig. Condemniodd y cenedlaetholwyr trwy ddweud y

> rhoddir argraff gynyddol ar feddwl dynion nad ydyw'r cenedlaethol-wyr yn ddim amgen na chlymblaid wrthnysig a ddallwyd gan ei chasineb Selotaidd tuag at y Saeson rhag gweled bod chwalfa'r rhyfel wedi newid wyneb byd, a bod achwynion plaid a chenedl yn llai eu pwys na hawl-iau elfennol dynoliaeth. Yn wir, beth ydyw osgo'r cenedlaetholwr Cymreig ond jingoaeth y Sais wedi ei throi o chwith?

Ychwanegodd y byddai dylanwad y byd Saesneg yn aruthrol fawr ar ôl y rhyfel, a chaniatáu y trechid yr Almaen, ac wrth sôn am le Cymru yn yr ymdrech yn erbyn y Natsïaid dywedodd:

> Gellir gobeithio y dichon i ddiwylliant cenedl fechan, a ymunodd yn yr ymdrech, elwa ar lwyddiant y cyfrannodd hithau tuag ato. A gellir bod yn bur sicr y dioddefa'i diwylliant yn dost, efallai hyd angau, os gwelir na wnaeth ei noddwyr ddim i hyrwyddo'r ymdrech. Gofynnir gan lawer, a Chymry yn eu mysg, paham y dylai gael byw.

Dyma, yn sicr, y brawddegau mwyaf llwythog gan ystyr a lun-
iwyd yn ystod y rhyfel am y berthynas rhwng Cymru a Lloegr.
Un peth nas cofiodd Emrys Evans oedd mai un rheswm am dwf
y mudiad cenedlaethol yng Nghymru, a oedd yn peri cymaint o
ofid iddo, oedd y ffaith nad elwodd Cymru ar y llwyddiant y
cyfrannodd iddo ar ddiwedd Rhyfel 1914-18. Wrth ei ateb
dyfynnodd Saunders Lewis o neges hynod o debyg a anfonodd y
Dr Goebbels at genedl y Tsieciaid yn dweud wrthynt, pe na
chyfrannent eu cymorth i ymdrech ryfel yr Almaen, y gofynnid
pa hawl oedd ganddynt i fyw.

Ni ellid gwell amlygiad o'r gwahaniaeth rhwng dwy oes, na'r
gwrthdrawiad hwn rhwng Emrys Evans a Saunders Lewis. Ni
chredai Emrys Evans fod Cymru'n genedl gyda hawliau di-
wrthdro a diamod. Nid oedd ganddi hawl i fyw ond yng
nghysgod Lloegr ac i'r graddau yr oedd yn barod i gyfrannu i
ffyniant bywyd Lloegr. Nid rhyfedd iddo ymroi mor frwd i'r
gwaith o Seisnigeiddio Coleg Bangor ac iddo fod hefyd mor an-
fodlon derbyn y syniad o Goleg Cymraeg. Daliai Saunders
Lewis ar y llaw arall fod hawliau diamod, dan y ddeddf foesol,
yn perthyn i Gymru fel cenedl, er lleied oedd wrth ochr y pŵer-
au mawr. Mewn cyfnod o enbydrwydd cydwladol, dyletswydd
gyntaf y Cymro oedd dilyn cyngor Voltaire a thrin ei ardd ei
hun. Ni olygai hynny fod Saunders Lewis yn gweld unrhyw
rinwedd yn Natsïaeth yr Almaen. Yn wir, fe'i condemniodd
dro ar ôl tro fel ffrwyth eithafol y proletareiddio a'r
barbareiddio a fu ar wareiddiad Ewrob yn ystod yr ugeinfed
ganrif. Ni feiai ar Loegr am amddiffyn ei hannibyniaeth yn
erbyn unrhyw elyn. Yn wir, rhoes deyrnged loyw fwy nag un-
waith i'w phrif weinidog, Winston Churchill, oblegid grym ei
arweiniad. Ond daliai, oes oedd ar Loegr angen am gymorth
Cymru yn ei brwydr, na ddylai hi ei ddisgwyl na gofyn amdano
heb yn gyntaf gydnabod hawliau cenhedlig Cymru.

Yn 1942 daeth ymosodiad arall ar y Blaid, y tro hwn ar
dudalennau'r *Traethodydd*, yn erthygl y Parchedig Gwilym
Davies dan y teitl "Cymru Gyfan a'r Blaid Genedlaethol".
Dywedir mai'r Dr Tom Jones a oedd y tu ôl i hon hefyd a
bod pwysau wedi eu rhoddi ar olygyddion y *Traethodydd* (sef y
Prifathro David Phillips, y Parch D.Francis Roberts, a'r Athro

Ifor Williams) i'w chyhoeddi. Ysgrifennwr rhwydd a phoblogaidd oedd Gwilym Davies, ymwelydd cyson â Chynghrair y Cenhedloedd yng Ngenefa ac un a ymgymerasai â'r gorchwyl o ddehongli gweithrediadau'r Cynghrair i'r Gymru Gymraeg. Ysgafn oedd cynnwys meddyliol yr erthygl, o gymharu ag eiddo Emrys Evans, er enghraifft, a'i brif bwyntiau oedd, pe câi Mr Saunders Lewis ei ffordd, y byddai'n gwneud Cymru'n wlad annibynnol, dotalitaraidd, ffasgaidd a phabyddol. Honnai, ymhlith camsyniadau eraill, fod dylanwad Maurras a'r *Action Française* yn drwm ar Saunders Lewis. Ni bu'r Athro J.E.Daniel a Mr Lewis yn hir cyn sychu'r llawr â'i ddadleuon yn eu pamffled *Plaid Cymru Gyfan*. Dichon, er hynny, i ymosodiad Gwilym Davies ennill mwy o sylw a chael mwy o ddylanwad nag eiddo'r Prifathro dysgedig o Fangor.

Nid oedd hyn oll ond megis rhagymadrodd i ddigwyddiad mawr y flwyddyn 1943, sef etholiad seneddol achlysurol Prifysgol Cymru. Y pryd hwnnw cynrychiolid y prifysgolion yn y Senedd yn Llundain a chynrychiolid Prifysgol Cymru gan aelod Rhyddfrydol, Ernest Evans. Yn Nhachwedd 1942 ymddiswyddodd o'r sedd ac ymhen ychydig ddyddiau cyhoeddwyd y byddai Mr Saunders Lewis yn ymgeisydd amdani ar ran y Blaid. Gan mai sedd Ryddfrydol oedd ar y pryd, byddai'n rhaid i'r Rhyddfrydwyr ddewis ymgeisydd a fyddai wedyn yn cael cefnogaeth yr holl bleidiau a gefnogai'r Llywodraeth Goalisiwn, yn cynnwys Torïaid, Llafur a'r Comiwnyddion. Buwyd am wythnosau yn chwilio am ymgeisydd addas. Ystyr hynny oedd ymgeisydd a allai rwystro Saunders Lewis rhag ennill y sedd. Bu gohebu maith rhwng gwŷr blaen y Brifysgol â'i gilydd. Enwyd rhai fel Mrs Clement Davies a'r Prifathro J.F.Rees yn ymgeiswyr posibl. Ond nid oedd dim yn tycio heb gael ymgeisydd a allai rannu'r bleidlais Gymreig, a pheri fod rhan ohoni'n uno â'r bleidlais glaear Gymreig a'r bleidlais wrth-Gymreig.

Cafwyd un felly o'r diwedd ym mherson yr Athro W.J. Gruffydd. Dewis rhyfedd, ar un olwg. Yr oedd yn llenor o fri, yn fardd, yn olygydd *Y Llenor*, yn ysgolhaig a wnaeth gyfraniadau diamheuol werthfawr at astudio llenyddiaeth Gymraeg yr Oesoedd Canol yn ogystal â llenyddiaeth ddiweddar. Yr oedd hefyd wedi bod yn Is-lywydd y Blaid Genedlaethol, wedi cym-

86

ryd rhan yn yr ymgyrch yn erbyn yr ysgol fomio ac wedi galw
yn 1937, ar ôl carcharu'r Tri, ar holl gynghorau lleol Cymru i
foicotio'r Coroni. Ond yr oedd wedi cael rhai gwrthdrawiadau
â Saunders Lewis ar fater Pabyddiaeth neu Gatholigiaeth. Dal-
iai fod Pabyddiaeth o'i hanfod yn athrawiaeth dotalitaraidd a
thueddai, felly, i'w huniaethu â Ffasgaeth a Natsïaeth. Er iddo
ganu'n chwerw ar ôl Rhyfel 1914-18 i ddychanu'r rhai oedd dda
ganddynt ryfel, pan ddechreuodd rhyfel 1939 yr oedd am ym-
ladd y rhyfel hwnnw i'r pen, costied a gostiai. Nid dyma'r lle i
geisio esbonio ei anwadalwch, ond digon yw dweud iddo
wasanaethu pwrpas gelynion y Blaid Genedlaethol i'r dim.

Safodd fel Rhyddfrydwr, ar yr amod nad oedd i'w rwymo
gan y chwip Rhyddfrydol ar ôl cael ei ethol. Derbyniodd y
Rhyddfrydwyr yr amod hwn. Cefnogwyd ef gan Gymry amlwg
fel Ifor Williams, Henry Lewis, R.T.Jenkins, Tom Richards, R.
Alun Roberts a Iorwerth Peate a chefnogwyd Saunders Lewis
gan rai fel Thomas Parry, R.Williams-Parry, G.J.Williams, P.
Mansel Jones, W.J.Roberts, Cynan, T.H.Parry-Williams, ac
ymlaen. Yr oedd y rhwyg yn y Gymru Gymraeg yn llwyr.
Cefnogwyd Gruffydd hefyd gan y pleidiau gwleidyddol oll nad
oedd ganddynt unrhyw ddiddordeb yn achos Cymru. Etholwyd
ef gyda mwyafrif o 3098 yn erbyn 1330. Cadwyd y perygl
draw. Bu'n etholiad chwerw iawn. Gadawodd ei hôl ar deimlad-
au yng Nghymru am flynyddoedd lawer. Mi ddywedwn fy hun
mai dyma'r weithred wleidyddol salaf mewn perthynas â
Chymru a wnaed yn y ganrif hon, er bid sicr fod eraill a gystadl-
ai â hi. Gwnaeth ymgyrch yr Athro Gruffydd a'i gefnogwyr
ddrwg mawr i'r achos cenedlaethol yng Nghymru drwy atal ei
dwf a'i gynnydd mewn cyfnod tyngedfennol.

Dywedwyd wrthyf gan yr Athro G.J.Williams, a oedd mewn
cyswllt beunyddiol â W.J.Gruffydd, ei fod mewn cyflwr o wir
banic yn ystod y cyfnod hwnnw, a honnai, pe deuai'r Almaen-
wyr i Gaerdydd, mai ef fyddai'r cyntaf a saethent, oblegid ei
ymlyniad wrth yr hyn a alwai'n "Rhyddid a Rheswm", sef ei
slogan yn ystod yr etholiad. Dichon mai dyna ei gred, fel y
gwelir wrth ddarllen ei erthygl "Mae'r Gwylliaid ar y Ffordd"
yn *Y Llenor* am Hydref, 1940. Ond buasai'n well i Gymru pe
bai ef wedi cadw ei ben, fel y gwnaeth Saunders Lewis, a

meddwl ym mhob sefyllfa sut yr oedd diogelu buddiannau Cymru fel cenedl.

Yn y cyswllt hwn diddorol yw cofnodi bod Saunders Lewis yn ei lythyr etholiadol wedi egluro beth yn union a olygai ef wrth alw am heddwch o gymrodedd. Ped etholid ef i'r Senedd, medd ef, ni âi yno i hyrwyddo'r ymdrech ryfel nac i'w lesteirio. Ac nid ystyriai fod yn ddyletswydd arno ddadlau dros heddwch am unrhyw bris. Yn hytrach, ebr ef, dymunai weld y Cynghreiriaid yn ennill buddugoliaeth fawr a phwysig yng Ngogledd Affrica a'r Aifft, oblegid byddai hynny'n creu gradd o gyfartaledd strategol a wnâi heddwch o gymrodedd yn bosibl. Ond ar ôl ennill y fuddugoliaeth hon aeth y Cynghreiriaid ati i drechu'r Almaen yn llwyr. Credaf mai barn Saunders Lewis oedd, pe cynigid telerau anrhydeddus i'r Almaen, y byddai byddin yr Almaen yn eu derbyn ac yn diorseddu llywodraeth Hitler. Pe digwyddasai hynny, efallai (ond ni ŵyr neb) y byddai lladdfeydd ac erchyllterau enbytaf diwedd y rhyfel wedi eu hosgoi. Y ddadl yn erbyn hynny oedd y byddai'n anfoesol gwneud heddwch o gymrodedd â llywodraeth yr Almaen. Ond yn y diwedd bu'n rhaid gwneud heddwch o gymrodedd â Rwsia, a oedd yn llawn mor anfoesol. Yr oedd yn haws cau llygaid ar hynny, gan fod Rwsia a'r gwledydd a feddiannwyd ganddi gymaint yn bellach i ffwrdd.

Bûm yn ymdrin yn bennaf yn y papur hwn â'r egwyddorion a arddelid gan y Blaid yn ystod y rhyfel ac â'i hymdrech i'w cymhwyso at sefyllfa Cymru yng nghanol yr argyfwng. Ond gwyddai'r Blaid nad oedd y mwyafrif llethol o drigolion Cymru'n cytuno â hi, mai traethu egwyddor sylfaenol yr ydoedd, gyda'i llygaid yn wir ar y dyfodol. Yr oedd yn rhaid iddi hefyd weithredu ar lefel is, fwy ymarferol a beunyddiol. A'i thasg ar y lefel hon oedd ceisio amddiffyn Cymru rhag effeithiau gwaethaf y polisi rhyfel. Wrth wneud hyn yr oedd y Blaid yn mynd trwy'r proses o ddysgu'r hyn y mae'n rhaid i bob mudiad politicaidd ei ddysgu, sef sut i gadw ei golwg ar y nod eithaf y mae ei delfrydiaeth yn ei chyfeirio ato, ac ar yr un pryd hyrwyddo polisïau sydd yn ymarferol ac yn gyraeddadwy o ddydd i ddydd. Gwaith digon anodd oedd hyn yn amgylchiadau'r rhyfel. Ond cymerwyd cam pwysig ar Fedi 8, 1939, pryd y

Dau o wrthdystiadau'r Blaid yn erbyn cynlluniau Swyddfa Ryfel Lloegr.
Isod: protest ddiweddarach Trawsfynydd, Awst 30, 1951.

cyhoeddwyd llythyr yn y wasg oddi wrth J.E.Daniel a Saunders Lewis yn galw am sefydlu Pwyllgor Diogelu i warchod buddiannau Cymru yn amgylchiadau y rhyfel, sef pwyllgor y gallai'r Llywodraeth ei gydnabod yn swyddogol yn llais dros Gymru. Cyfeiriodd y llythyr yn arbennig at faterion fel llif y noddedigion i Gymru o ddinasoedd Lloegr, gwasgaru bechgyn a merched o Gymru yn y lluoedd ac mewn ffatrïoedd, yr atal ar ddarlledu yn Gymraeg, a mater y defnydd a wneid o dir Cymru i ddibenion milwrol. Dyna'r materion y dylai'r Pwyllgor gael cyfle i wasgu ei farn ar y Llywodraeth yn eu cylch. Arweiniodd y llythyr at gynadledda ac at sefydlu corff, a alwyd maes o law yn Undeb Cymru Fydd, a dderbyniodd fesur o gydnabyddiaeth swyddogol ac a wnaeth lawer o waith buddiol o fewn y terfynau a bennwyd iddo. Un o'i brif gymwynasau oedd cyhoeddi'r cylchgrawn *Cofion Cymru* er gwasanaethu'r Cymry a wasgarwyd yn y lluoedd ac yn y ffatrïoedd. Cyn diwedd y rhyfel yr oedd 26,000 o gopïau o'r cylchgrawn hwn yn cael eu dosbarthu.

Un o'r bygythion mwyaf i'r bywyd Cymreig yn ystod y rhyfel oedd gwanc y Swyddfa Ryfel a sefydliadau milwrol eraill am dir ymarfer ar gyfer y lluoedd. Yr enghraifft glasurol o hyn oedd y difrod a wnaed ym Mynydd Epynt ym Mrycheiniog. Yno yr oedd cymdeithas wledig, amaethyddol o ryw 80 o deuluoedd, 400 o bobl, y mwyafrif ohonynt yn Gymraeg eu hiaith, yn ffermio mewn saith o gymoedd. Yr oeddynt yn hen gymdeithas, wedi ei gwreiddio yno ers canrifoedd, ac yn cynnal ei bywyd crefyddol a diwylliannol ei hun. Daeth rhybudd yn 1940 fod y Swyddfa Ryfel yn mynd i feddiannu 40,000 o aceri ar gyfer ymarfer saethu ac y byddai'r fyddin, yng ngeiriau un o swyddogion y Swyddfa Ryfel, yn mynd ati "*to blast the place into a wilderness*". Penyberth arall oedd Epynt, ond ar raddfa aruthrol fwy. Nid un fferm oedd i'w chwalu, ond pedwar ugain. Oblegid bod hyn yn digwydd yng nghanol rhyfel yr oedd yn llawer iawn mwy anodd trefnu gwrthwynebiad.

Bu Mr Gwynfor Evans a Mr J.E.Jones yn gweithio'n ddiflino yn y gymdogaeth, ac eraill gyda hwy, ac yr oedd arwyddion o beth parodrwydd i wrthsefyll ymhlith y trigolion. Ond digwyddodd yr hyn a ddisgrifir gan J.E.Jones fel "brad", h.y. cytunodd rhai o'r ffermwyr i ildio "rhag peryglu eu hiawndal";

dilynwyd hwy gan eraill ac erbyn Mehefin 1940 yr oedd cym-
oedd Epynt yn wag. Chwalwyd y boblogaeth a'u gwasgaru i
ffermydd a phentrefi mewn ardaloedd cyfagos. Trwy wneud
hyn, mewn act fwriadol o eiddo'r Llywodraeth, symudwyd ffin
yr iaith Gymraeg ddeng milltir i gyfeiriad y gorllewin. Y mae'r
fyddin ar Epynt o hyd, y maent wedi adeiladu rhwydwaith o
ffyrdd trwy'r fro, a chaniateir i ddefaid bori ar y mynydd yn yr
haf dan drwyddedau arbennig. Ond yn lle Clwyd Bwlch y
Groes a Hirllwyn a Phentre Uchaf a Hewl Goch a Thafarn
Mynydd ceir yno bellach Dixie's Corner a Piccadilly Circus,
Canada Corner a Gallows Hill. Gellir darllen disgrifiad o'r hen
gymdeithas yn llyfryn Mr Donald Davies, *Epynt Without
People.* Yn ystod y ddwy flynedd ddiwethaf bu Mr Glyn E.
Jones, o'r Uned Ymchwil Ieithyddol Gymraeg yng Ngholeg y
Brifysgol, Caerdydd, yn gweithio ymhlith aelodau'r teuluoedd a
ddiwreiddiwyd. Dywed ef wrthyf fod lliaws ohonynt ar gael o
hyd, heb fod nepell o'u hen gynefin, ac y mae ef wedi cofnodi
eu hiaith yn llawn. Y mae Cymraeg Epynt, felly, wedi ei
diogelu ar dâp ar gyfer ei hastudio, ond nid yw hynny, wrth
gwrs, yn gyfystyr â diogelu'r hen gymdeithas. Dywed Mr Jones
hefyd nad yw'r bobl hyn ar y cyfan yn ymwybodol o'r ang-
hyfiawnder â wnaed â hwy o'r safbwynt cenedlaethol. Gofid-
iant oblegid chwalu eu cartrefi a hiraethant am yr hen fro, ond
cymerant y safbwynt fod eu haberth yn angenrheidiol er mwyn
dibenion y rhyfel.

I grynhoi. Gellir dal mai ceisio dilyn llwybr canol a wnaeth y
Blaid yn ystod y rhyfel. Mynnodd na allai Cymru fel gwlad a
chenedl gymryd rhan yn y rhyfel, gan nad oedd ganddi
lywodraeth. Yr oedd dodi gorfodaeth filwrol arni gan wlad arall
yn anfoesol. I'r cenedlaetholwr yr oedd derbyn yr orfodaeth
honno yn anfoesol, canys golygai y byddai'n cymryd bywyd dan
awdurdod amhriodol. Am y rhyfel ei hun, daliai'r Blaid mai
gwrthdrawiad pwerau mawr ydoedd, nid rhyfel dros neu yn
erbyn egwyddorion. Cafwyd cadarnhad i'r farn hon eleni gan yr
hanesydd A.J.P.Taylor (*Observer*, 16/3/75), gŵr a oedd fel Sais
yn cefnogi'r ymdrech ryfel:

> *In my opinion the Second World War was a struggle for mastery or
> survival with Fascism or anti-Fascism thrown in as a top dressing.*

"Survival" oedd yr hyn yr ymleddid drosto yn ôl Churchill hefyd, ac ni ellid beio ar Loegr am ymladd drosto. Ceisiodd y Blaid gymhwyso'r un ystyriaeth at Gymru. Ceisiodd rwystro datgymaliad y gymdeithas Gymreig dan bwys amgylchiadau'r rhyfel. Mudiad bychan iawn ydoedd ar y pryd. Gellir dweud ei bod wedi cadw'r drychfeddwl o genedl Gymreig yn fyw o ddechrau'r rhyfel i'w ddiwedd. A llwyddodd i wneud hynny heb i rwygiadau ddatblygu o'i mewn. Dangosodd oddefgarwch wrth wneud ei safbwynt yn eglur. Ar ddiwedd y rhyfel yr oedd yn fwy cytûn, ac ychydig yn gryfach, nag ydoedd ar y dechrau.

Elwyn Roberts

YMGYRCH SENEDD I GYMRU

Ni fedraf yn y sylwadau a ganlyn namyn codi cwr y llen ar hanes Ymgyrch Senedd i Gymru yn hanner cyntaf y pum degau; rhaid aros nes daw gwell cyfle i roi'r hanes yn weddol lawn.

Yr oedd y gri am Senedd i Gymru yn y gwynt ers rhai blynyddoedd cyn i Undeb Cymru Fydd benderfynu ddydd Gŵyl Ddewi 1950 cychwyn Ymgyrch a Deiseb am Senedd i Gymru. "Y mae deffroad yn y wlad," meddai T.I. Ellis, yr Ysgrifennydd y pryd hynny, ac yr oedd llawer o wir yn y gair. Ysgogwyd y "deffroad" gan y llwyodraeth yn gwrthod y naill gais ar ôl y llall am gydnabyddiaeth i Gymru. Yn 1943 gofynnwyd i'r Prifweinidog Churchill am Ysgrifennydd i Gymru ond gwrthodwyd gyda "No, Sir" swta, digymrodedd y Dirprwy Brifweinidog Major Attlee. Yn fuan wedyn gwrthododd y Prifweinidog dderbyn dirpwrwyaeth i hawlio Gweinidog Materion Cymreig. Caniatawyd un dydd yn y flwyddyn i drafod materion Cymru. Yr oedd teimladau'n codi fel yr amlheid y gwrthodiadau ac y caniateid peth mor bitw ac annigonol ag un dydd mewn blwyddyn i faterion gwlad gyfan. Yn y ddadl ar y Dydd Cymreig cyntaf, 7 Hydref 1944, traddodwyd anerchiadau cryf o blaid datganoli ond trodd y llywodraeth glust fyddar ar y cyfan.

Yr oedd y Rhyfel a llywodraeth Churchill ac Attlee yn dirwyn i ben a'r etholiad cyffredinol cyntaf ar ôl y Rhyfel ar y gorwel. Yn y misoedd cyn yr etholiad ym Mehefin 1945 ni chawsai materion Cymreig erioed y fath sylw. Yr oedd gan Blaid Cymru 6 ymgeisydd grymus iawn ar y maes, Gwynfor Evans, Ambrose Bebb, J.E. Daniel, Wynne Samuel, Trefor Morgan a Kitchener Davies, yn hoelio sylw ar hawliau Cymru ac ar y gamdriniaeth a ddioddefai dan lywodraeth Lloegr, ac yr oedd nifer o ymgeiswyr newydd, Cymreig eu hysbryd, gan y Blaid Lafur yn addo Ysgrifennydd i Gymru, awdurdod datblygu economaidd, atal diboblogi, corfforaeth radio ac ati —y rhai hyn oedd y "pethau y gellid eu cael" pe deuai Llafur i rym.

Daeth rhyw ychydig o sŵn o wersyll y Rhyddfrydwyr, a rhwng popeth daeth camdriniaeth Cymru yn fater llosg, yn bwnc mawr y dydd yn y misoedd hynny.

Anghyflawn iawn yw'r cyfeiriadau hyn at y ffactorau a oedd yn gyfrifol am gryfhau o'r argyhoeddiad y dylasai Cymru gael mesur o gyfrifoldeb am ei materion ei hun. Yn Hydref 1946 trawodd Syr Stafford Cripps y syniad o gorfforaeth ddatblygu yn ei dalcen a chyhoeddodd dranc y syniad o Ysgrifennydd i Gymru. Dyna ddau o'r "pethau y gellir eu cael" wedi eu gwrth-od eisoes. Yn 1948, yn y Senedd, S.O. Davies oedd fwyaf dygn yn ergydio'n drwm yn erbyn ei lywodraeth ei hun.

Caed Pwyllgor Ymgynghorol ond prin a gwael oedd y croeso iddo, a datganodd y Rhyddfrydwyr eu bod o blaid Senedd i Gymru mewn Prydain Ffederal. Yr oedd anfodlonrwydd yn dal i gryfhau a Chymry da yn troi eu meddyliau tuag at fudiad di-blaid unol i roi llais i'r anfodlonrwydd hwnnw ac i hawl Cymru i fesur o hunan lywodraeth.

Gwyddwn fod Gwynfor a J.E. yn meddwl ar y llinellau hyn. Yr oedd y Blaid yn 1949 yn cynnal y gyntaf o raliau mawr, llwyddiannus dros ben, yn galw am "Senedd i Gymru o fewn 5 mlynedd". Yr oedd Undeb Cymru Fydd yntau â'i glust ar y ddaear ac erbyn Hydref 1949 yn ymbaratoi at ymgyrch cyn bo hir. Ar ben hyn oll yr oedd llwyddiant ysgubol y Cyfamod Sgotaidd yn agor posibiliadau o'r fath yng Nghymru. Credaf i hyn ddylanwadu'n drwm, efallai'n drymach na dim arall, ar y Blaid, ac ar Undeb Cymru Fydd ac i Gwynfor genhadu'n egnïol dros fudiad ar yr un llinellau yng Nghymru.

Peth syml iawn, hawdd i'w drefnu, oedd y Cyfamod yn Sgotland. Nid oedd yn ddeiseb yng ngwir ystyr y gair. Dyma oedd y geiriau y gofynnid i gefnogwyr eu harwyddo: "Yr wyf yn addo gwneud fy ngorau i sicrhau senedd i Sgotland, gyda hawliau mewn materion cartrefol". Aeth y mudiad ar garlam trwy'r wlad. Mudiad sblit o Blaid Genedlaethol Sgotland (S.N.P.) ydoedd. Erbyn diwedd 1949 honnid bod 500,000 wedi arwyddo a chyn bod Ymgyrch Senedd i Gymru wedi cychwyn o ddifrif yr oedd ymhell dros filiwn o enwau ar y papurau. (Yn ddiweddarach aeth y cyfanswm dros 2,000,000, bron iawn hanner poblogaeth y wlad.)

Yr oedd yn naturiol i fudiad mor llwyddiannus gael ei feirniadu'n llym iawn yn Sgotland ac oddiallan. Maentumiai gwrthwynebwyr na ellid dibynnu ar yr enwau am fod cyfartaledd uchel ohonynt yn enwau plant, a phobl a oedd wedi arwyddo fwy nag unwaith. Yr oedd y ffordd y trefnwyd ymgyrch y Cyfamod yn gwahodd beirniadaeth o'r fath. Yr hyn a wnaed oedd rhoi bwndeli o slipiau bach o bapur, a'r Cyfamod wedi ei argraffu arnynt, i gefnogwyr a'u hannog i'w dosbarthu a chael cenwau arnynt yn y gwaith, y siop, yr ysgol ac ati. Ac yna pan elai'r person hwnnw i'r dafarn gyda'r nos neu i gyfarfod cymdeithasol neu arall dosbarthai slipiau a chasglai enwau yno hefyd. Dan gynllun felly nid oedd modd sicrhau nad oedd rhai cefnogwyr wedi arwyddo ddwywaith, ac eraill wedi arwyddo drostynt eu hunain yn ogystal â thros aelodau eraill o'r teulu. Sut bynnag, yr oedd Ymgyrch y Cyfamod yn ymgyrch gyffrous a llwyddiannus dros ben, a chafodd ddylanwad mawr ar dwf cenedlaetholdeb yn Sgotland. Bu'n wers ac yn symbyliad mawr i ninnau yng Nghymru dorchi llewys a mynd ati i drefnu Ymgyrch a Deiseb i ni'n hunain.

Plaid Cymru oedd y cyntaf i wneud datganiad cyhoeddus o blaid trefnu Ymgyrch am Senedd i Gymru, er bod Undeb Cymru Fydd dan arweiniad T.I. Ellis, Syr Ifan ab Owen Edwards, Moses Griffith, Dafydd Jenkins, Gwynfor Evans ac eraill yn cefnogi'r syniad. Yr oedd Plaid Cymru yn cyfarfod nos Wener olaf 1949, yn Aberystwyth. Ar ôl hir drafod cyhoeddwyd o'r Pwyllgor Gwaith ddatganiad yn annog trefnu Ymgyrch a Deiseb. Yn y cyfarfod rhybuddiodd D.J. Williams, Abergwaun, dan gyfarwyddyd J.E. yn ddiau: "Pe byddem ni ym Mhlaid Cymru, neu unrhyw blaid arall, yn gwneud y Ddeiseb yn fater plaid, byddai'n ddinistr sicr i'r ddeiseb honno". O hynny ymlaen yr oedd holl bwysau'r Blaid o'r tu ôl i Ymgyrch unol ac annibynnol.

Y diwrnod wedyn, dydd Sadwrn y cyntaf o Ionawr yn Amwythig, cyfarfu'r Rhyddfrydwyr. Dyma'r Rhyddfrydwyr hwythau'n penderfynu cefnogi Ymgyrch ond eu bod hwy am drefnu Cyfamod, fel yn Sgotland, yn hytrach na Deiseb, ac fe drefnid yr Ymgyrch a'r Ddeiseb gan y Blaid Ryddfrydol ei hun. Gwnâi hynny trwy anfon llythyrau am gefnogaeth i'r eglwysi, i'r awdurdodau lleol a chyrff cyhoeddus eraill, yng Nghymru a thrwy weddill y Deyrnas Gyfunol.

Daeth parodrwydd y Rhyddfrydwyr i ddod i'r maes i ymgyrchu am Senedd yn dipyn o sioc oherwydd ansicr ac anwadal oedd eu cefnogaeth i Senedd ar hyd y blynyddoedd, ac yn 1948, pan gaed ganddynt benderfyniad o blaid, yr oedd ynghlwm wrth y syniad o Brydain ffederal. Sut bynnag, asgwrn y gynnen ar y pryd oedd bwriad y Rhyddfrydwyr i drefnu'r holl ymgyrch eu hunain. Golygai hynny wneud yr Ymgyrch yn bwnc plaid. Fel yr oedd teimladau'n poethi, a pherygl i'r Rhyddfrydwyr dynnu'n ôl, daeth yr Henadur William George i'r adwy ac apelio at ei blaid ail ystyried a rhoi'r Ymgyrch, fel yr awgrymasai Plaid Cymru, yn llaw mudiad unol nad oedd yn rhwym wrth na phlaid nac enwad, cyngor na mudiad o unrhyw fath.

Ofnai rhai mai cynllwyn ydoedd cefnogaeth y Blaid Rhyddfrydol er ceisio marchogaeth ar gefn y farn gyhoeddus a oedd yn prysur gryfhau o blaid Senedd; "Cast etholiadol ydyw", meddai Saunders Lewis gan gyfeirio'n amlwg at yr etholiad cyffredinol a oedd ar ddod, a mynnai rhywun fod yn Rhyddfrydwyr yn bwriadu defnyddio Cymru er mwyn eu plaid, a Phlaid Cymru am ddefnyddio'r Blaid er mwyn Cymru. Yn ddiweddarach, ac fel canlyniad i ymyriad William George, daeth y Rhyddfrydwyr o blaid corff annibynnol.

Cynhaliwyd Etholiad Cyffredinol ar 23 Chwefror 1950. Yn y cyfnod cyn yr etholiad tueddodd pethau i dawelu tra oedd y pleidiau ynghlwm wrth eu gwaith etholiadol. Yn syth ar ôl thau yr etholiad, ar ddydd Gŵyl Ddewi, cyhoeddodd Undeb Cymru Fydd ei fod o blaid senedd a'i fod yn ymbaratoi i gynnal Cynhadledd yn Llandrindod i wyntyllu'r pwnc, ac i sefydlu peirianwaith i drefnu ymgyrch a deiseb. Eglurodd T.I. Ellis fod yr Undeb wedi bod yn trafod y mater er mis Hydref ond wedi penderfynu cadw'r bwriad yn ôl nes byddai'r etholiad cyffredinol wedi mynd heibio. Dyma'r datganiad: "Y mae heddiw ddeffroad ym mywyd Cymru ac awydd cryf am gyfle i hwnnw ei fynegi ei hun. Felly, y mae Undeb Cymru Fydd wedi penderfynu cynnal cynhadledd i ystyried arwyddo deiseb o blaid Senedd i Gymru".

Yr oedd y Gynhadledd i'w chynnal yn Llandrindod ar y cyntaf o Orffennaf. Aethpwyd ati i wahodd yr awdurdodau lleol, y cymdeithasau a'r cyrff crefyddol a'r eglwysi, y pleidiau gwleidyddol a mudiadau, i anfon cynrychiolwyr yno. Daeth tyrfa fawr ynghyd a chaed cynhadledd lwyddiannus iawn. Y prif siaradwyr oedd Gwynfor Evans, S.O. Davies, T.I. Ellis, Y Parch. G.O. Williams, Llanymddyfri (Archesgob Cymru wedi hynny), Syr Ifan ab Owen Edwards, Dr Alistair McLean o'r Alban a'r Fonesig Megan Lloyd George. Yr Athro J.R. Jones oedd yn y Gadair a'r Dr Tudur Jones a gyfieithai o'r Gymraeg ac o'r Saesneg.

Byrdwn yr anerchiadau oedd hawl Cymru i fwy o reolaeth ar ei bywyd ei hun, i Senedd, a hynny am fod Cymru'n genedl ac am fod y pwysau gwaith yn Westminster yn golygu nad oedd materion Cymreig yn cael dim byd tebyg i chwarae teg gan y Llywodraeth. Yr oedd S.O. Davies yno, ond nid fel cynrychiol-ydd y Blaid Lafur na hyd yn oed bwyllgor gwaith y Blaid Lafur yn ei etholaeth ef ei hun. Yr oedd wedi dod yno fel unigolyn i sefyll dros yr hyn a oedd wedi bod yn bolisi'r Blaid Lafur mor ddiweddar â 1945. Yr oedd ef yn dal yn gadarn at yr egwyddor honno ac fe geisiai ymhob ffordd bosibl berswadio'i Blaid i ddod yn ôl at ei pholisi gwreiddiol.

Egluro a wnaeth y Parch. G.O. Williams yntau, mewn anerch-iad rhagorol iawn, mai fel unigolyn yr oedd yno, yn mynegi ei argyhoeddiad personol ef ei hun. Meddai: "Y mae hunan lywodraeth seneddol i mi yn fater o gydwybod Gristnogol". Gwelai Syr Ifan ab Owen Edwards ddisglair olau 'mlaen. Edrychai pethau'n addawol dros ben iddo ef —pobl o bob plaid ac enwad a chyngor yn fodlon cydweithio â'i gilydd i ennill rhywbeth mawr, sylweddol i Gymru. Clywsai fod y Toriaid o blaid Ysgrifennydd i Gymru a Llafur o blaid Cyngor, ond anodd oedd credu'r hyn a glywsai, o gofio am wrthwynebiadau diweddar y pleidiau hyn. Y siaradwr arall oedd Dr Alistair McLean, Sgotyn a ddysgasai gryn dipyn o Gymraeg. Wrth sôn am Ymgyrch y Cyfamod yn Sgotland dyfynnodd o un o gywyddau Goronwy Owen: "Pawb a'u cenfydd o bydd bai/A baw ddyn er na byddai". Sôn yr oedd am y bychanu yn yr Alban ar y cyfamod er bod yn tynnu at 2 filiwn o bobl Sgotland wedi arwyddo. Dywedodd air yn ei iaith ei hun ac ychydig yn Saesneg. Cyflwynodd Idris Cox ac Ithel Davies ddatganiadau o gefnogaeth ar ran y Blaid Gomiwnyddol a mudiad Y Gweriniaethwyr. Wedyn daeth tro Gwynfor Evans: "Soniwyd am y pwysau gwaith yn y Tŷ Cyffredin. Nid gofyn am garedigrwydd yr ydym ond am hawl a berthyn i bob cenedl. Nid pwnc gwleidyddol yn unig yw hwn ond un ysbrydol hefyd. Mudiad o blaid un o'r delfrydau mwyaf yw'r mudiad senedd. Yr ydym yn gadael rhigolau plaid am ein bod o'r farn mai mater tyngedfennol o bwys mawr yw sicrhau hunan lywodraeth ar fyrder". Dyna osod y pwnc yn ei le, ynghanol cymeradwyaeth frwdfrydig.

Cafodd Lady Megan dderbyniad gwresog iawn. Dechreuodd, gan ddilyn esiampl ei thad yn rhoi cynulleidfa yn y cywair priodol cyn dechrau siarad, trwy ddweud mai pleser oedd bod ar yr un llwyfan â mab Tom Ellis a Mab O.M. Edwards. "Dyma ichi dair cangen o hen dderwen fawr, a'i gwreiddiau'n ddwfn yn naear Cymru," a thynnodd y lle i lawr. Dywedodd fod problemau yng Nghymru ond na ellid eu datrys heb gyfrifoldeb amdanynt. "Ystyr cyfrifoldeb yn y fan hyn," meddai, "yw awdurdod, a'r hyn a olyga awdurdod i ni yma heddiw yw senedd gartrefol. Mae'n rhaid inni roi'n holl galon yn y gwaith o drefnu'r Ddeiseb; rhaid iddi fod yn llwyddiant sgubol neu gwneud drwg mawr a wnaiff i Gymru".

Rhaid bod T.I. Ellis, a oedd yn bennaf gyfrifol am y Gyhhadledd, wedi ei blesio'n fawr. Daeth ef i lawr i'r ddaear ac apelio am weithwyr i fynd o amgylch i gasglu enwau, a chasglu arian. Rhoddwyd y penderfyniad a ganlyn i'r Gynhadledd ac fe'i derbyniwyd: "Fod y Gynhadledd hon yn datgan ei barn yn ffafr Deiseb o blaid hunan lywodraeth seneddol i Gymru". Yna aed ati i ddewis cnewyllyn o bwyllgor gyda Lady Megan yn Llywydd yr Ymgyrch.

Yr oedd tasg anferth o fawr o flaen y pwyllgor; trefnu ymgyrch trwy bob rhan o Gymru i oleuo ac addysgu a chreu argyhoeddiad ac at hyn trefnu'r gwaith manwl o fynd â ffurflen y Ddeiseb o dŷ i dŷ, nid yn y pentrefi Cymraeg yn unig ond hefyd yn yr ardaloedd poblog a Seisnig yn Sir Fynwy (Gwent erbyn hyn), Morgannwg a mannau eraill. A hyn oll yn nannedd gwrthwynebiad ffyrnig y Torïaid a'r Blaid Lafur a'r Wasg Saesneg bron i gyd —a'r pwyllgor ei hun heb ddimai goch y delyn at y costau.

'Roedd y gwaith yn dipyn haws i'w wneud yn Sgotland nag yng Nghymru. Yr oedd gan Sgotland eisoes fesur o ddatganoli —ei sustem cyfraith ei hun ac Ysgrifennydd Gwladol gyda sedd yn y Cabinet. Cam ceiliog oedd y cam o hynny i Senedd. Ond yma yng Nghymru y cwbl a oedd gennym oedd un diwrnod i Gymru yn y Senedd bob blwyddyn, cyfarfod o benaethiaid y gwasanaeth sifil, a Chyngor Ymgynghorol nad oedd yn cynnwys ond yn unig aelodau wedi eu henwebu gan y Prif Weinidog ei hun. At hyn yr oedd y broblem sylfaenol yn wahanol. Yn yr Alban problem economaidd a gwleidyddol ydoedd; yng Nghymru deuai ffactorau ysbrydol i'r cyfrif. Heb amheuaeth yr oedd y Gynhadledd wedi gosod baich trwm iawn ar ysgwyddau'r cefnogwyr i gyd.

Yr oedd yn naturiol iawn i rwystrau ac anawsterau godi eu pennau mewn mudiad cydbleidiol a newydd. Cymerodd gryn amser i'r pwyllgor —Y Pwyllgor Canol, fel y'i glewid, —osod i lawr sylfeini a chyfeiriad y gwaith ac astudio patrwm y Senedd y gobeithid ei chael, sef Senedd ar yr un llinellau â Gogledd Iwerddon. Yr oedd Lady Megan y rhan fwyaf o'i hamser yn Llundain ac aelodau'r pwyllgor ar chwâl drwy Gymru gyfan. Anodd oedd eu cael ynghyd.

Un o'r pethau cyntaf a wnaeth y pwyllgor oedd cyhoeddi ffurflen y Ddeiseb. Gwnaed hynny cyn setlo'n derfynol beth fyddai galluoedd y Senedd arfaethedig. Gellir beirniadu'r pwyllgor am hynny; ar y llaw arall yr oedd gweiddi am ffurflenni am fod cefnogwyr yn awyddus i ddechrau casglu enwau. Y mae geiriad y Ddeiseb yn cynnwys 5 pwynt —y dylid cefnogi'r Ddeiseb am fod Cymru'n genedl; fod y genedl hon yn awr mewn perygl o golli ei thir a'i hiaith a'i thraddodiadau; na ellir iawn-ddatblygu adnoddau naturiol cyfoethog Cymru heb hunan lywodraeth; na fedr y Tŷ Cyffredin drafod yn ddigonol broblemau arbennig Cymru oherwydd pwysau gwaith a bod gan Gymru yr un hawl foesol i hunan lywodraeth â phob cenedl arall. Tipyn mwy pendant ac eglur na'r Cyfamod Sgotaidd, a llawer mwy anodd i'w dderbyn na datganiad penagored "gwnaf fy ngorau . . . ''

Trwy'r cyfnod hwn ymosodai'r Blaid Lafur yn chwyrn, yn arbennig ar S.O. Davies. Yn Hydref 1950 gofynnodd Cliff Protheroe i'r Cyngor Undebau a'r Blaid Lafur ym Merthyr edrych i mewn i wyriadau S.O. Davies oddi wrth bolisi y Blaid Lafur ar faterion cyd-wladol, ond yn arbennig ar faterion Cymreig ac ar ei bresenoldeb yn Llandrindod a'i aelodaeth o Bwyllgor Canol yr Ymgyrch. Amddiffynodd S.O. Davies ei hun yn rymus gan ymosod ar Cliff Protheroe, a Chyngor Rhanbarthol y Blaid Lafur nad oedd namyn "a conglomeration of nonentities, not in line with the movement in Wales". Galwyd ef wedyn i roi cyfrif ohono'i hun gerbron y Cyngor, ond nid ildiodd ddim. Cydymaith dygn i'r Blaid Lafur yn ei hymosodiadau ar yr Ymgyrch oedd y *Western Mail*, newyddiadur cenedlaethol Cymru, fel y galwai ei hun. Honnai mai cochl oedd cenedlaetholdeb y mudiad dros y Gomiwnyddiaeth Gymreig honno a oedd yn ffugio cefnogaeth i'n hawliau a'n diwylliant.

Daeth yn amlwg nad oedd modd gwneud cyfiawnder â'r Ymgyrch heb o leiaf gael un Trefnydd llawn-amser. Apwyntiwyd Dafydd Miles, Aberystwyth. Dechreuodd pethau wella'n fuan ac yn sylweddol. Rhywbryd eto y ceir holl hanes 1951 a 1952. Gwnaeth Dafydd Miles waith enfawr yn cysylltu cefnogwyr ar draws ac ar led Cymru, pobl o bob daliad gwleidyddol a phobl heb ddim, a threfnodd nifer mawr o gyfarfodydd cyhoeddus llewyrchus. Caed hefyd gyhoeddusrwydd eang a llawer o ewyllys da a chydymdeimlad, a dywedai Lady Megan fod yr hinsawdd yn graddol gynhesu.

Erbyn Awst, 1951, blwyddyn ar ôl y Gynhadledd yn Llandrindod, yr oedd yr Ymgyrch yn barod i ddechrau casglu enwau ar y Ddeiseb. Dywedir mai yn Llansannan yr arwyddwyd y ffurflen gyntaf, gan yr Henadur Mars Jones a oedd yn cadeirio cyfarfod cyhoeddus yno, ond yn Eisteddfod Genedlaethol Llanrwst, ar y dydd Iau, ym Mhabell y Cymdeithasau, y lawnsiwyd y Ddeiseb yn swyddogol. Siaradai'r Athro W.J. Gruffydd yn y cyfarfod, y Cynghorydd W.M. Williams, a'r Canon G.O. Williams, Llanymddyfri, Gwir Barchedig Archesgob Cymru erbyn hyn. Y Parch. Wyre Lewis oedd yn y Gadair. Elfed oedd y cyntaf i arwyddo, a'r ail oedd Miss Catrin Puw Morgan, o Gorwen, a dorrodd ei henw yn arwydd o gefnogaeth yr ifainc. Fel Ysgrifennydd yr Eisteddfod honno cofiaf am y cyhuddiad o rai cyfeiriadau fod dwyn politics i'r Eisteddfod. Ar ôl hynny bu beirniadu llyma lloerig.

Yn yr Hydref caed etholiad cyffredinol, ac er i Blaid Cymru beidio ag ymladd mewn rhai etholaethau lle oedd yr Aelod Seneddol neu'r ymgeisydd yn gefnogwr agored i'r Ymgyrch, caled oedd yr ymgyrchu ar ôl hynny. Collodd Lady Megan ei sedd ym Môn ac aeth i'r Unol Daleithiau yn yr union amser pan oedd ei heisiau fwyaf, i roi calon yn y mudiad a'i sbarduno i weithgarwch mawr. Yr oedd yr anawsterau eraill yn lleng; y diddordeb ar drai unwaith eto, y gwaith yn cloffi o ddiffyg gweithwyr a diffyg arian, i enwi dim ond rhyw dri o'r prif rwystrau. Mawr glod i Ddafydd Miles am ei ddycnwch yn y cyfnod hwn. Gwrthododd y Pwyllgor yntau â thorri ei galon er mai nifer bychan iawn oedd yn wir ffyddlon i'r achos erbyn diwedd 1952. Dechrau 1953 ail-gydiodd Mr Miles yn ei waith yn athro cerddoriaeth yn ysgol uwchradd Machynlleth. Yr oedd yr Ymgyrch erbyn hyn heb Drefnydd amser-llawn, y rhag-olygon yn bur ddigalon, a dyled o £1154 bron â llethu'r gwaith. I Ddafydd Jenkins (Athro Cyfraith) Aberystwyth y mae'r diolch nad aeth y sefyllfa'n drech na'r pwyllgor.

Ym mis Mai, 1953, gwnaeth Pwyllgor Canol yr Ymgyrch gais at Blaid Cymru i'm rhyddhau am gyfnod i roi'r Ymgyrch ar ei thraed unwaith eto, a threfnu i gasglu'r enwau ar y papurau. Y pryd hwnnw yr oeddwn yn Drefnydd llawn-amser i'r Blaid yng Ngwynedd. Cyfarfu Lady Megan â Phwyllgor Gwynedd y Blaid ym Mroncastell, Conwy, ar noson waith, ac ar ôl cael addewid ganddi y byddai'r Ymgyrch yn fy ngollwng yn rhydd i weithio yn y Blaid pe deuai etholiad cyffredinol, neu is-etholiad, cytun-wyd fy rhoi ar fenthyg i'r Ymgyrch o ddiwedd Medi ymlaen, am gyfnod o ryw ddwy flynedd. Fy ngwaith fyddai codi a dyfnhau diddordeb mewn Senedd i Gymru, trefnu cyhoeddusrwydd eang yn y Gymraeg a Saesneg, gofalu am y llenyddiaeth, cael trefn-iadaeth ar ei thraed i gasglu o leiaf ¼ miliwn o enwau i'r Ddeiseb, codi arian at y costau a thalu dyledion y blynyddoedd cynt, a gweithredu yn Ysgrifennydd y Pwyllgor Canol am y cyfnod. Mewn gair, atgyfodi'r Ymgyrch ar ô ċyfnod o anawsterau mawr, o laesu dwylo ac o wangalonni.

Yr oedd Lady Megan wedi petruso cryn dipyn cyn cytuno i ddod gerbron y Pwyllgor. Cesglais fwy nag unwaith ei bod yn ofni'r apwyntiad a minnau'n un o swyddogion cyflogedig y Blaid, ac felly'n gadach coch i lawer oddi allan iddi. Sut bynnag, dyfod a wnaeth a chadd groeso mawr. Synnodd nad oeddym wedi gofyn cwestiynau crafog iawn ac nad ymosodwyd ar yr hen ddyn, fel y galwai ei thad. Ar ôl hynny, am gyfnod o dair blynedd yr oeddwn mewn cysylltiad agos â hi a mynych yr yr awn i Fôr Awelon i drafod y gwaith ac i sbarduno Lady Megan orau y gallwn. Heb amheuaeth gwnaeth gyfraniad mawr i lwyddiant yr Ymgyrch.

Fel y dywedais yr oeddwn i ddechrau arni ddiwedd Medi, ond ond yn y cyfamser yr oeddwn i fanteisio ar wythnos yr Eisteddfod Genedlaethol yn y Rhyl i ail-gychwyn yr Ymgyrch. Trefnais Gynhadledd y Wasg i Lady Megan mewn gwesty yn y dref, gyda Miss Meinir Gruffydd (Mrs Aneurin Thomas yn awr) yn bresennol i gadw cofnodion. Pur ystormus oedd y cyfarfyddiad hwnnw. Lady Megan heb fod yn barod gyda'r datganiad i'r Wasg a heb ryw lawer o syniad ar y munud hwnnw beth fyddai ei natur a'i gynnwys. Meddyliais yn siwr na byddai gair yn barod mewn pryd, ond rywsut llwyddwyd i lunio darn ac fe'i teipiwyd a'u luosogi ar faes yr Eisteddfod. Cafodd gyhoeddusrwydd eang. Yr oedd hi'n ffefryn gan wŷr y Wasg, yng Nghymru ac yn Lloegr. Cefais aml wers fuddiol ganddi yn y maes hwn.

Ond prif ddigwyddiad yr wythnos oedd y cyfarfod cyhoedd-us yn Neuadd y Dref, bnawn dydd Gwener, Awst 7, gyda'r Henadur Tudor Watkins, A.S. Brycheiniog a Maesyfed yn y gadair, a Mr Goronwy O. Roberts a Lady Megan yn brif siarad-wyr. Ond yr hyn a roes fri ar y cyfarfod oedd ei fod wedi ei drefnu ar awgrym yr Henadur H.T. Edwards, yn y lle cyntaf, i roi cyfle iddo wneud cyffes gyhoeddus o gefnogaeth i'r Ymgyrch. Yr oedd hyn o gryn bwys oblegid Huw T. oedd un o feirniaid huotlaf yr Ymgyrch, a'r mwyaf pigog yn aml, ac yr oedd ganddo ddylanwad mawr yn y mudiad Llafur yng Nghymru. Yr oedd wedi cyhoeddi pamffledyn dan y teitl *They*

went to Llandrindod. Yn hwnnw ymosodai'n chwyrn ar yr holl
Ymgyrch, er ei fod ef fwy nag unwaith wedi datgan cefnogaeth
i'r syniad o senedd ffederal i Gymru, Sgotland a Lloegr. Medd-
ai o'r llwyfan, mewn geiriau gwrol, cwbl nodweddiadol ohono
ef: "Fe ŵyr y rhai hynny ohonoch sy'n cofio'r Diwygiad na
ddaeth pawb at ras yr un pryd. Ac yn awr yr wyf am wneud
cyffes: er imi fod yn hir ymarhous yn dod, yr wyf o'r diwedd
wedi cyrraedd, ac wedi cael gras." Meddai hefyd: "Pen a
chalon sydd wedi dod ynghyd."

Cyfarfod da oedd hwnnw: Mr G.O. Roberts, A.S. yn siarad
yn gryno ac yn effeithiol, yr Henadur Tudor Watkins yn
cadeirio'n gynnes, a Lady Megan ar yr uchelfannau, wedi cael
llywyddiaeth un o gyfarfodydd yr Eisteddfod o'r neilltu erbyn y
dydd Gwener. Cyflwynodd bamffledyn newydd yr Ymgyrch, a
elwid *Senedd i Gymru* ac a eglurai y math o senedd a oedd
mewn golwg. "Mae'r pamffledyn," meddai, "wedi peri newid
mawr eisoes mewn agwedd led-led Cymru. Mae ffrydlif gynnes
yn dechrau llifo tuag atom." A gwir y dywedodd, er bod dylan-
wadau eraill a chynharach wedi helpu'n sylweddol i newid yr
hinsawdd. Yr oedd yn Ymgyrch erbyn hyn wedi ail-gychwyn
mewn gwirionedd, gydag arfau newydd yn ei dwylo a phender-
fyniad newydd i fynd â'r maen i'r wal. Ail-gychwynnodd yn
ddewrach, meddai'r *Ddraig Goch.* Mae rhagolygon y gellir
tynnu'r mudiad Llafur fwyfwy i gefnogi, meddai'r *Cymro,* ond
heb roi awgrym ar ba sail y dywedai hynny, onid ar bwys
tröedigaeth H.T. Edwards. Ac meddai'r *Faner,* na thybiodd fod
yr Ymgyrch yn werth iddi hi hyd yn oed sôn amdani yn
niwedd 1951 a dechrau 1952, "Da iawn oedd seinio'r utgorn yn
y Rhyl a threfnu ail gyrch tua'r nôd".

'Roedd y pamffledyn *Senedd i Gymru* a welodd olau dydd
yn yr Eisteddfod yn ymdrin â chyfansoddiad Senedd i Gymru.
Etholid y Senedd gan bobl Cymru yn unol â dulliau etholiadol
y Deyrnas Gyfunol. Gallai drin ei gwaith drwy sustem cabinet
neu drwy bwyllgorau, fel mewn llywodraeth leol. Dylai cyfan-
soddiad y Senedd sicrhau cydbwysedd teg rhwng gwahanol
fuddiannau —e.e. yr ardaloedd gwledig, tenau eu poblogaeth, a'r
ardaloedd poblog yn Neheudir Cymru. Byddai'n rhaid sicrhau
hynny heb dreisio egwyddor sylfaenol cynrychiolaeth

ddemocrataidd. Cynigiai'r Ymgyrch dri chynllun i ystyriaeth
pobl Cymru —1. Senedd o ddau Dŷ, y cyntaf gyda 72 o aelod-
au a'r ail gydag aelodau wedi eu hethol i gynrychioli ardaloedd
yn ôl eu maint. 2. Senedd o un Tŷ —rhai aelodau wedi eu
hethol yn uniongyrchol a rhai wedi eu henwebu gan yr awdur-
dodau lleol. 3. Senedd o un Tŷ —yr aelodau wedi eu hethol
ond wedi eu trefnu i bwrpas pleidleisio yn grwpiau daearyddol.

Ar wahân i gyfansoddiad y Senedd yr oedd yn rhaid pender-
fynu hefyd sut y byddid yn rhannu awdurdod. Cynigiai'r
Ymgyrch dri rhaniad: 1. Senedd y Deyrnas Gyfunol yn
gyfrifol am faterion y Goron, materion tramor, heddwch a
rhyfel, tollau a threthi mewnforio, estroniaid, y gyfraith a'r llu-
oedd arfog. 2. Mewn rhai meysydd rhennid awdurdod rhwng y
Senedd yn Llundain a'r Senedd yng Nghaerdydd —cylchrediad
arian, bathu arian, gwasanaethau'r post, hawlfreintiau, ond
byddai gan Gymru hawl i gymhwyso rhai ohonynt at anghenion
Cymru —e.e. gallem gael ein papur punt ein hunain ond byddai'r
bunt yn sylfaenedig ar y bunt *sterling*. Rhwng y ddwy Senedd
hefyd y byddai penderfynu teitlau anrhydeddus a thir at
amcanion cyhoeddus, materion y dociau, porthladdoedd etc.
3. Trosglwyddid popeth nas enwyd i Senedd Cymru —
diwydiant a masnach, diwydiannau a wladolwyd, amaethydd-
iaeth, pysgodfeydd, coedwigaeth, addysg, darlledu, iechyd, tai,
llywodraeth leol, yswiriant cenedlaethol, trafnidiaeth a gwein-
yddiad y gyfraith. Gwnâi'r argymhellion hyn y teip o Senedd
yn gwbl glir —Senedd ag awdurdod ganddi dros faterion cartref.
Nid oedd sôn na lle i amau mai'r bwriad oedd torri'n rhydd oddi
wrth Loegr.

Gwaith yr Ymgyrch yn awr oedd gwerthu'r math yna o
Senedd i bobl Cymru. Yr oedd digonedd o faterion i'w trafod,
digon o le i wahaniaeth barn a lle hefyd i wrthwynebwyr gam
esbonio a chreu bwganod, a chodi cwestiynau amherthnasol.

Ar ôl yr Eisteddfod yn y Rhyl aeth pawb i'w ffordd ei hun ac
anghofio'n ddiau dros dro am yr Ymgyrch a'r gwaith caled,
anodd oedd o'n blaen. Nid cyn diwedd Medi yr aed ati o ddifrif
i roi'r Ymgyrch ar y gweill. Ond cyn agor swyddfa ym Mae
Colwyn, a mynd i'r afael â'r gwaith yr oedd yn rhaid imi fynd i
Gaerdydd o ganol Medi hyd ddiwedd y mis i hlepu J.E. a'i staff —

Miss Nans Jones, Miss Elizabeth Jones a Roy Lewis —un o drefnyddion y Blaid yn y De —gyda threfniadau Rali fawr flynyddol y Blaid. Yr oedd y trefniadau ar gerdded ers tro, a J.E.'n procio'r canghennau ac unigolion i drefnu bwsiau i'r Rali o bob rhan o Gymru. Tybed na fuasai'n well pe buaswn wedi fy rhyddhau o'r Blaid i waith yr Ymgyrch yn nechrau Medi? Erbyn dechrau Hydref byddai cefnogwyr wedi ymrwymo i weithgarwch arall, a mwy anodd fyddai eu perswadio i fod yn rhydd i waith yr Ymgyrch. Yn nes ymlaen dioddefwyd rhyw gymaint oherwydd hyn.

Yng Nghaerdydd yr oedd Rali 1953, prynhawn Sadwrn, Medi 26, mewn pabell eang yng Ngerddi Soffia. Pwnc y Rali hon, fel raliau y blynyddoedd hynny, ydoedd "Senedd i Gymru o fewn 5 mlynedd". Gan fod yr Ymgyrch am Senedd wedi ail ddechrau tybiodd rhai mai Rali'r Ymgyrch oedd y Rali hon, a syrthiodd rhai gwŷr amlwg i'r camgymeriad yn ddifeddwl ddigon. Sut bynnag, bu'n hwb i'r Ymgyrch am Senedd yn gymaint ag iddi danio nifer da o gefnogwyr yn y Blaid ac ail ennyn diddordeb yn y Ddeiseb.

Daeth tyrfa fawr ynghyd i'r babell o bob rhan o Gymru, o Loegr, Sgotland ac Iwerddon. J.E. ei hun, trefnydd y Rali, oedd oedd yn cadeirio. Yr oedd llunio'r Agenda yn bwnc enaid iddo, gan mor drwyadl, yn ôl ei arfer, y trefnai bob gair a gweithred. Y prif siaradwyr (a'u pynciau) oedd: Mr Wynne Samuel (Diwydiant Cymru), Y Prifathro Pennar Davies (Diwylliant Cymru), Dr McIntyre (Perthynas Sgotland a Chymru), Mr John Banks (Seneddau rhanbarthol), Mr Michael O'Neill (Gogledd Iwerddon), Mr R.E. Holland (Cynnydd y Blaid), a Mr Gwynfor Evans (Yr angen am Senedd). Galwyd Mr S.O. Davies, A.S. Merthyr, i'r llwyfan ynghanol cymeradwyaeth fawr, a chyflwynodd Mr Trefor Beasley neges o gefnogaeth o Gyfrinfa Morlais o Undeb Cenedlaethol y Glöwyr. Derbyniwyd negeseuau hefyd oddi wrth Syr James Collins, Arglwydd Faer Caerdydd, Syr John Hunt, Dame Sybil Thorndyke a Syr Lewis Casson, Syr Emrys Evans, Syr Idris Bell, Mr Hugh MacDiarmid, y bardd o Sgotland, Elfed, a'r Dr Tom Parry, Pennaeth y Llyfrgell Genedlaethol ar y pryd. Tipyn o strôc oedd cael neges oddi wrth Syr John Hunt, dringwr Everest, ac yntau yn anterth ei fri

Dwy olygfa o'r Rali Fawr dros Senedd i Gymru, Medi 26, 1953 yng Nghaerdydd. Uchod: Dr William George yn derbyn y ffagl a gariwyd gan redwyr o Senedd-dy Machynlleth. Isod: rhan o'r orymdaith.

y misoedd hynny, a chymaint camp, ond o natur wahanol, oedd cael gair o law Syr Emrys Evans, Prifathro Coleg Bangor. (Eglurodd yn ddiweddarach mai dan gam-syniad y gwnaeth hynny.) Cynigiodd Mrs Kitchener Davies yn Saesneg ac eiliais innau yn Gymraeg benderfyniad yn datgan hawl ddiymwad Cymru i'w Senedd ei hun. "Hawliwn fod sefydlu Senedd i Gymru, yng Nghaerdydd, ein prif ddinas, ac ymdynghedwn i'w hennill yn fuan". Cariwyd y penderfyniad yn unfrydol.

Yr oedd y gynulleidfa eisoes wedi ei chyffwrdd pan gerddai banerwyr y tair-sir-ar-ddeg i'r llwyfan, a phan gyrhaeddodd dau fanerwr Mynwy y lle anrhydedd yr oedd y dorf yn ferw drwyddi. At hyn, oherwydd yr anerchiadau grymus, eitemau hyfryd Parti Penillion Llanerfyl, a chanu cynhyrfus Elinor a Siôn Dwyryd efo'r tannau, caed rhag baratoad effeithiol at weddill y rhaglen.

Gwir uchafbwynt y cyfarfod, a'r un a gofir yn fyw iawn o hyd, ydoedd mynediad dramatig Emrys Roberts trwy gefn y babell ac i ganol y dorf yn cario fflamdorch rhyddid o Senedd-dy Owain Glyndŵr ym Machynlleth, a'i chyflwyno i Mr Gwynfor Evans, Llywydd y Blaid, ar y llwyfan. Cariwyd y ffagl o Fachynlleth, ryw 150 o filltiroedd o leiaf, gan dîm o redeg-wyr dan gyfarwyddyd Meirion Lewis, Aberdâr, gydag Emrys Roberts ar y blaen. Pan gyflwynwyd y ffagl i Gwynfor yr oedd yn fflam dân, heb ddiffoddi na'r dydd na'r nos o'r munud y cynheuwyd hi'r diwrnod cynt ym Machynlleth. Cynheuwyd hi gan yr Henadur William George, Cricieth yng ngŵydd Mr O. Parry Owen, Machynlleth, y Parch. Islwyn Ffowc Elis, yr Uch-gapten W.H. Evans, ac eraill. Mae'n anhygoel meddwl, ond yn wir serch hynny, i'r rhedegwyr gael croeso dinesig yn Abertawe gan Faer a Dirprwy Faeres y dref!

Gorymdeithwyd o Erddi Soffia i Barc Cathays gyda'r baner-wyr, band Ystalyfera, Gwynfor, R.E. Holland a J.E. ar y blaen. Yr oedd S.O. Davies, wedi herio'r Blaid Lafur wrth fynd i'r llwyfan, yn herio ei blaid eto mewn ffordd fwy cyhoeddus fyth trwy ymuno, ef a Mrs Davies, yn yr orymdaith. Ymestynnai'r orymdaith y rhan orau o filltir a thorfeydd ar y palmentydd mewn cymeradwyaeth amlwg yn ei gwylio'n mynd heibio. Ym Mharc Cathays, ar lecyn glas, y dywedid ei fod wedi ei neilltuo ar gyfer adeiladau'r Senedd-dy Cymreig, gyda'r banerwyr o'r tu cefn iddo, traddododd Gwynfor neges rymus o ffydd a gobaith i'r genedl. Aeth pawb adre'n llawen, wedi cael diwrnod i'w gofio. Yna diffoddwyd fflam Glyndŵr am y waith honno.

Dychwelais y noson honno gyda R.E. Holland, yn ei *Hillman* cyflym, gan gychwyn o Gaerdydd ar ben saith a chyrraedd Dolwyddelan, ar ôl pryd o fwyd ar y Bannau, dipyn cyn hanner nos. Yr oeddwn ym Mae Colwyn bron yr un diwrnod.

Ben bore dydd Llun cydiais yng ngwaith y Ddeiseb. Agorais swyddfa ym Mae Colwyn gyda chadiar a bwrdd, hen deipiadur methedig, a phapurau a gawswn gan Lady Megan a Dafydd Miles. Yr oedd y rhaid dod i lawr i'r ddaear, a wynebu'r gwaith caled a oedd ymlaen. Yr oedd eisiau, i bob pwrpas, cychwyn yr Ymgyrch o'r newydd trwy'r wlad i gyd. Yr oedd yn rhaid trefnu cyfarfodydd led led Cymru, creu a chynnal cyhoeddus-rwydd eang a pharhaus yn y papurau a'r cyfryngau eraill, sefydlu pwyllgorau, gannoedd ohonynt, i gasglu enwau ar y Ddeiseb, codi arian at y costau, talu dyledion, ac adeiladu cyd-weithrediad ymhlith Cymry tra gwahanol eu hargyhoeddiadau a'u teyrngarwch, yn genedlaetholwyr a llafurwyr, rhyddfryd-wyr a thoriaid, a'r bobl hynny na fwriodd eu coelbrenni gydag unrhyw blaid na mudiad. Ar ben hyn yr oeddwn yn gyfrifol am gyfarfodydd y Pwyllgor Canol ac am weithredu ar ei benderfyn-iadau.

Cof gennyf weithio'n ddygn yr wythnosau cyn diwedd y flwyddyn yn adeiladu rhestr o enwau a chyfeiriadau cefnogwyr tebygol mewn rhyw 50 o ardaloedd. Yna ceisio eu perswadio i alw cefnogwyr ynghyd i drefnu cyfarfod cyhoeddus a sefydlu pwyllgor lleol i gasglu enwau ar y Ddeiseb, ac i godi arian at y costau. O dipyn i beth, ond yn rhy araf o lawer, daeth pwyllgor ar ei draed mewn llawer lle. Postiais tua 500 parsel bychan i gefnogwyr yn gynnar yn y flwyddyn yn cynnwys defnyddiau at y gwaith —cylchlythyr yn esbonio beth oedd i'w wneud ac yn aml sut i'w wneud-o, sypyn o ffurflenni'r Ddeiseb a thaflenni propaganda ac ati. Nid oedd modd osgoi sôn am arian oherwydd yr oedd yn rhaid imi godi cyflog dau ohonom bob mis, ynghyd â chostau gweinyddol reit sylweddol, heb sôn am dalu rhai o'r dyledion o'r ddwy flynedd gyntaf. Yr oedd i gyfarfodydd cyhoeddus le canolog yng ngwaith yr Ymgyrch. Yr oedd dygn angen amdanynt i egluro'r math o Senedd yr oeddem yn cyrchu tuag ati, i ateb gwrthwynebiadau ac amheuon, sefydlu pwyllgorau lleol, dosbarthu defnyddiau a sbarduno gweithgarwch. Bu Mrs Parry, o'r Rhyl, fy Ysgrifenyddes yn gymorth mawr imi, ac yr oedd yr help a gawn gan fy ngwraig yn amhrisiadwy.

Yr oedd gan yr Ymgyrch banel o siaradwyr tan gamp — Gwynfor Evans, T.I. Ellis, Syr Ifan ab Owen Edwards, Dr Tudur Jones, S.O. Davies, A.S., Goronwy O. Roberts, A.S., Tudor Watkins, A.S., T.W. Jones, A.S., Cledwyn Hughes, A.S., Gwyn Phillips, Baroed, Dr Glyn Tegai Hughes a llu o rai eraill, ond Lady Megan oedd y ffefryn a hi yn fwy na neb arall a dynnai'r tyrfaoedd ar ei hôl. Gwaetha'r modd anodd dros ben oedd ei hoelio i ddyddiadau; pe rhoddech ring i Fôr Awelon nid oedd y dyddiadur wrth law, neu yr oedd ganddi ymrwymiadau eraill, a llawer gwaith yr oedd Watkin y Corgi wedi cydio yn ei hosan a 'doedd dim modd gwneud trefniadau manwl mewn amgylchiadau felly! O ganlyniad yr oedd trefnu ei cyfarfodydd hi yn fwrn yn aml. Ond pan geid y cyfarfodydd yr oeddynt yn sgubol a'r cyhoeddusrwydd y bore wedyn yn eang ac effeithiol iawn.

Bu rhai o'r cyfarfodydd hyn yn gryn broblem i'r A.S'au Llafur. Yn ôl pob cownt, ceisiodd Mri. Herbert Morrison, Morgan Phillips a Clif Protheroe, yn Nhachwedd 1953, rwystro'r A.S'au Llafur rhag annerch yn y cyfarfodydd, ac fe'u rhybuddiwyd, fe ddywedir, os na byddent yn cilio o'r Ymgyrch cyn Chwefror 1954, pan oedd rhaglen y Blaid Lafur i Gymru i weld golau dydd, y dygid hwy gerbron y Blaid Seneddol, i'w ceryddu. Yr oedd iddynt ryddid i ymgyrchu o'r tu mewn i'r Blaid Lafur, ond nid o'r tu allan iddi, ac yn arbennig nid oeddynt ar unrhyw gyfrif i rannu llwyfan gyda'r pen gelyn hwnnw, neb amgen na Mr Gwynfor Evans, Llywydd y Blaid. Ond heriwyd yr awdurdodau pan siaradodd Mr Tudor Watkins a Mr T.W. Jones (fel yr oeddynt y pryd hynny) yn y cyfarfodydd mawr yn y Coliseum, Aberdâr, ac yn Nhreorci. Yr oedd Lady Megan yno hefyd a Mr Gwynfor Evans, a wrthododd bob cais i aros gartref. Yr oedd y cyhoeddusrwydd yn y *Leader* yn eang iawn a'r papur hwnnw yn fwy nag un arall a âi i bob tŷ

rhagfarnau yn ei herbyn. Gresyn na chafodd S.O. Davies gyfle i siarad; fel y bu nid oedd y deisebwyr bob amser yn sicr o'u hatebion, a gwnaeth yr wrth blaid yn fawr o hynny. Dywedent hefyd nad Cynhadledd y Glöwyr oedd y lle i iawn farnu y cwestiwn Senedd ond Cyngor Rhanbarthol y Blaid Lafur, gan guddio mai glöwyr oedd fwyaf dylanwadol ar y corff hwnnw. Ni wnaeth datganiad maith ond rhesymol Lady Megan, nad oedd yn gwrthod Bwrdd Glo i Gymru yn llwyr, ryw lawer o les. At hyn dywedodd na byddai yng ngallu Senedd Cymreig sefydlu Undeb Glöwyr, ac y byddai yswiriant cenedlaethol a chyflogau yn cael eu pennu fel ar hynny o bryd ar sail Brydeinig. Os nad oedd ei sylwadau'n foddhaol addawodd y byddai'r Pwyllgor Canol yn ail edrych arnynt ac yn trafod yr holl faterion efo'r glöwyr. Ceisiodd S.O. Davies mewn llythyr maith i'r *Western Mail* egluro i'r glöwyr paham y dylasent gefnogi ond mae'n amheus a oedd popeth a ddywedodd yntau yn hollol gymeradwy gan y glöwyr, er iddo ef bwysleisio mai llywodraeth Sosialaidd a geid yng Nghymru o dan hunan lywodraeth. Parhaodd i annerch cyfarfodydd yn egluro ac esbonio drwy fisoedd yr haf a'r hydref.

Yr oedd yn amlwg fod yr Ymgyrch mewn dŵr poeth a bod y gwrth-ddeisebwyr yn cryfhau ac yn benderfynol o wneud methiant o'r Ymgyrch. Daeth cyfle arall iddynt ar Fai 29, ym Mhorthcawl eto, yng Nghynhadledd Cyngor Rhanbarthol y Blaid Lafur. Yno yr oedd *Labour's Policy for Wales*, y cyfeiriwyd ato eisoes, gerbron. Cynigiwyd gwelliant o blaid Senedd ac fe'i trechwyd gan 159 pleidlais yn erbyn 3.

Ni waeth imi heb â chymryd arnaf fel arall: yr oedd y dyfodol yn ddu os oeddym yn disgwyl cyfanswm mawr iawn o enwau —ymhell dros y 50% —ar bapurau'r ddeiseb. Yr oedd tua 1,800,000 o etholwyr yng Nghymru y pryd hynny. I gael 51% o enwau yr oedd yn amlwg y byddai rhaid i gyfanswm mawr ddod o'r De. Ac yn ôl pob golwg yr oedd yr "arweinwyr" o leiaf yn erbyn. Sut bynnag, rhaid oedd dygnu arni i gynnal cyfarfodydd mawr a mân, sefydlu pwyllgorau lleol neu grwpiau, casglu enwau, codi arian, a chreu cyhoeddusrwydd eang yn ateb gwrthwynebiadau.

Yr oedd yr Eisteddfod Genedlaethol o'n blaen, yn

Ystradgynlais, a bachwyd Neuadd y Glöwyr i gynnal cyfarfod cyhoeddus. Yr oedd yn rhaid i'r cyfarfod hwn fod yn un niferus a llwyddiannus ymhob ystyr; yr oedd yn gyfle i ennyn diddordeb unwaith eto ac i argyhoeddi bod yr Ymgyrch ar y maes a'n bod yn benderfynol o gasglu'r ¼ miliwn enwau a osodwyd yn nod inni. Cynhaliwyd y cyfarfod ar Awst 5 a'r neuadd yn llawn gyda chynulleidfa o 800 a throsodd. Yr oedd yn gyfarfod brwdfrydig a nifer da yn bobl ifainc. Y noson cynt yr oeddwn wedi bod yn lle ty Lady Megan, allan yn y wlad, ond ni chofiaf ymha le, yn gwneud yn siwr ei bod yn paratoi, a thrafod gyda hi lle y dylasai pwyslais ei hanerchiad fod. Yr oedd pytiau'n barod. Credaf y byddai'n ymarfer o leiaf rai darnau o'i hanerchiadau ymlaen llaw ac felly y byddent yn tyfu ac nid yn gymaint ar bapur. Sut bynnag siaradodd yn wefreiddiol ac yn ddengar ac apeliodd am un ymdrech fawr benderfynol yn y gaeaf oedd ar ddod i orffen casglu'r enwau. Siaradodd Tudor Watkins i bwrpas a T.W. Jones a John McCormick o Gymdeithas y Cyfamod Sgotaidd. Caed gair hefyd gan S.O. Davies a bwysleisiodd mai sosialydd ydoedd ef ond ei fod serch hynny, yn unol â'i ddaliadau gwleidyddol, yn cefnogi y Ddeiseb bob cam o'r ffordd. Siaradodd Dai Francis hefyd.

Ar ddiwedd yr haf cydiwyd eto yn y gwaith o sbarduno a threfnwyd nifer o gyfarfodydd, a cheisiwyd dylanwadu ar unigolion i ymaflyd yn y gwaith a threfnu casglu enwau. Yr oedd oes yr Ymgyrch yn dod i ben a dim amser wrth gefn i oedi'n rhagor cyn gorffen casglu enwau. Yr oedd nod o ¼ miliwn o enwau i'w i'w casglu ac nid ar chwarae bach y ceid hynny o gyfanrif.

Cafwyd sbardun i hynny yn Rhagfyr 1954 trwy i S.O. Davies ennill yr hawl i ddod â Mesur Aelod Preifat gerbron y Tŷ. Dewisodd ddod â Mesur o blaid Senedd i Gymru, er i rai o'i gyfeillion seneddol geisio ei berswadio i fod yn llai uchelgeisiol ond yn addo dilyn ei arweiniad prun bynnag. Darparodd D. Watkin Powell Fesur manwl yn cynnwys 150 cymal yn galw am Senedd er y gwyddai S.O. Davies nad oedd gobaith i'r Mesur o gwbl. Ar wahân i wyntyllu'r pwnc yn Nhy'r Cyffredin —y tro cyntaf ers 33 mlynedd —yr oedd dyfod â'r Mesur gerbron yn rhoi cyhoeddusrwydd i'r egwyddor, a chyfle i ni ddefnyddio'r achlysur i hyrwyddo'r Ymgyrch. Trefnwyd i gael y nifer mwyaf posibl o enwau i mewn —rhywbeth o dan 200,000; apeliwyd at unigolion a chymdeithasau i anfon llythyrau a theligramau a phenderfyniadau o blaid —hyn oll, a llawer mwy, i galonogi'r A.S'au, ac S.O. Davies yn arbennig, ac i sefydlu'r argraff fod cefnogaeth gref i Senedd yng Nghymru. Yr oedd y dystiolaeth a gaem gan ein canfaswyr yn cadarnhau fod rhywle rhwng 70% ac 80% o'r rhai yr ymwelwyd â hwy yn cefnogi. Buwyd yn ym-weld â 1092 o oedolion ym Merthyr ac arwyddodd 1074. Yr oedd y *Western Mail* yn gwrthod y Mesur ond yn cefnogi Ysg-rifennydd. Dywedodd George Thomas wrth y *Western Mail* pan ddaeth yn ôl o fod yn dathlu Gŵyl Ddewi yn Swydd Efrog: "We are appealing to English members, as I did in Yorkshire, to help us to save the Welsh people from themselves". 15 oedd yn y Tŷ pan gododd S.O. Davies i gyflwyno'i Fesur. Meddai: "Never before has our country been more alive, been more act-ive, more articulate and more finely organised in the demand that a substantial measure of self-government should at long last be given to Wales". Aeth ymlaen i egluro rhai o'r cymalau a chefnogwyd ef gan Cledwyn Hughes, T.W. Jones, Tudor Watkins, G.O. Roberts, Roderic Bowen a Clement Davies. Nid oedd y cefnogwyr Scotaidd yn bresennol na Peter Freeman (Casnewydd) ond cafwyd anerchiadau cefnogol gan rai Saeson yn cynnwys Fenner Brockway a George Wigg, a gan Emrys Hughes, Cymro yn cynrychioli sedd yn yr Alban. Y rhai amlyc-af yn erbyn oedd Jim Callaghan, George Cove, Ness Edwards, Dai Grenfell, Jim Griffiths, Ted Heath, Ian McLeod, Iori Thomas, Peter Thomas a'r Parch. Llywelyn Williams —48 ohonynt i gyd yn erbyn 14 o blaid. Yr oedd hyn yn ergyd ddifrifol arall i frwdfrydedd a gweithgarwch, a chwalwyd gobeithion y rhai hynny a ddaliai i gredu bod gwyrth rownd y gornel.

Ym mis Mai daeth yr etholiad cyffredinol. Yn ôl y ddealltwriaeth rhwng y Blaid a Phwyllgor Canol yr Ymgyrch yr oeddwn i'm rhyddhau i fynd yn drefnydd etholiad yn etholaeth Conwy, ac felly y bu. Arafodd y gwaith unwaith eto a thröwyd meddyliau ein gweithwyr, pawb at fuddiannau ei blaid ei hun. Nid oedd Plaid Cymru wedi ymladd yn 1951, lle oedd cefnog-wyr y Ddeiseb yn ymgeiswyr, ond yn 1955 ymladdwyd 11 sedd a chafwyd pleidleisiau gwych a oedd yn awgrymu bod yr Ymgyrch wedi deffro'r ymwybyddiaeth genedlaethol mewn miloedd o bobl. Aeth pleidlais Gwynfor ym Meirionnydd i fyny o 2448 i 5243 ac R.E. Jones yng Nghaernarfon o 3712 (2 etholaeth) i 5815. Enillodd Eirwyn Morgan 6398 pleidlais yn Llanelli, Elystan Morgan 5139 yn Wrecsam; caed 45119 o bleidleisiau i gyd, cyfartaledd o dros 4000 yr etholaeth.

Yr oedd yr Ymgyrch yn ymladd yn erbyn anawsterau mawr a llawer o'r cefnogwyr yn ofni na chyrhaeddem ¼ miliwn o enwau wedi'r cwbl. Fel pe na buasai'r anawsterau â'n goddiweddodd yn ddigon, aeth si ar led fod Lady Megan yn bwriadu ymuno â'r Blaid Lafur. Yr oedd awgrymiadau wedi eu gwneud bod lle iddi ym Mhlaid Cymru ond troi clust fyddar a wnaeth ar hynny er ceisio bob ffordd ei pherswadio. Yn wyneb ymosodiadau chwyrn y Blaid Lafur yr oedd yn anhygoel y buasai'n ymuno â'r Blaid honno. Ond dyna a wnaeth, a hynny ymhen ychydig wythnosau wedi i Fesur S.O. Davies gael ei feirniadu a'i wawdio a'i ladd gan y Llafurwyr. Yr oedd ei "thröedigaeth" yn anesboniadwy i'w llu cyfeillion, ond nid oedd mor anesboniadwy â hynny. Nid Brynawelon mewn gwirionedd na Chymru chwaith oedd gwir gartref Lady Megan. Ei gwir gartref oedd Sant Steffan; yr oedd bywyd gwleidyddol y lle hwnnw wedi ei meddiannu, ac yn ddiau wedi gwneud hynny cyn iddi erioed fynd yno, a gwnâi bron unrhyw beth i fynd yn ôl i'r lle. Dyna a ddigwyddodd wedi iddi ennill sedd Caerfyrddin yn Chwefror 1957, mewn is-etholiad lai na blwyddyn ar ôl cyflwyno'r Ddeiseb i'r Senedd yn Llundain, a'i gwrthod.

Er gwaethaf yr ergydion a gafodd yr Ymgyrch, y prif anawsterau o hyd oedd perswadio cefnogwyr i fynd o dŷ i dŷ i gasglu enwau, a chodi arian. Yr oedd yn anodd egluro'r amharodrwydd i hel enwau, â phobl mor barod i arwyddo. Collwyd rhai cannoedd o filoedd o enwau yn unig o ddiffyg mynd i'w nôl. Cofiaf am gefnogwyr yn un o bentrefi mwyaf Cymru, lle oedd nifer da o Gymry selog yn byw, yn peidio â mynd oddi amgylch am nad oedd cefnogaeth yno, meddent hwy. Anfonais ganfasiwr o bentref cyfagos i roi prawf ar y lle ac mewn deuddydd yr oedd wedi casglu 400 o enwau, a thystiai mai ychydig iawn iawn oedd yn gwrthwynebu. A dyna'r stori o lawer man arall. Rhaid canmol y cenedlaetholwyr yn fwy na neb arall am yr enwau a heliwyd ac am yr arian a gyfrannwyd at y costau. Ysgrifennais gannoedd lawer, mae'n rhaid, o lythyrau apêl am arian, a cheisiais drefnu casgliadau lleol, a llwyddo mewn llawer man, gan godi dros £8000 i gyd yn y cyfnod diweddar, digon i dalu'r dyledion o'r blynyddoedd cyntaf a chostau'r Ymgyrch i'r diwedd. Ond rhaid aros tan rywdro'n nes ymlaen cyn cael hanes y gwaith gweinyddol a threfniadol, a'r codi arian ynghanol y cyfan i gyd, a gweithredu hefyd fel swyddog cyhoeddusrwydd ac Ysgrifennydd y Pwyllgor Canol . . . ac nid gwiw y pryd hynny fydd anghofio cyfraniad Lady Megan a phersonau amlwg eraill, yn arbennig Gwynfor Evans a T.I. Ellis, dau o gedyrn yr Ymgyrch o'r cychwyn cyntaf.

Yr oedd dyddiau yr Ymgyrch erbyn Hydref 1955 wedi eu rhifo. Bellach byddai'n rhaid dirwyn y gwaith i ben. Anelwyd at orffen y Ddeiseb erbyn diwedd y flwyddyn ond gwelwyd y byddai'n rhaid cario 'mlaen am ryw hyd er ceisio cyrraedd y nod o ¼ miliwn. Pan gyflwynwyd y Ddeiseb i'r Senedd gan G.O. Roberts yn Ebrill 1956 yr oedd 240,652 o enwau arni, a rhai miloedd o enwau wedi eu casglu ond heb eu gyrru ymlaen mewn pryd; ac os oedd gwir yn yr hyn a ddywedodd Lady Megan yn y cyfarfod yn y Rhyl Awst 1953 yr oedd 100,000 wedi arwyddo cyn inni ail ddechrau. Diau bod rhyw gymaint o'r rhai hynny yn y cyfanswm a gyflwynwyd, ond nid y cyfan o gryn dipyn. Ymwelwyd â thros 300,000 o bobl; hynny'n rhoi rhywbeth rhwng 75% ac 80% o blaid. Yr oedd hyn yn cydfynd â thystiolaeth casglwyr led led Cymru. Yr oedd y cyfanswm a gyflwynwyd i'r Senedd o fewn dim i gyrraedd y nod o ¼ miliwn. Nod Deiseb y Bom Hydrogen, a lansiwyd tua'r un cyfnod gydag wchw mawr yn Llundain, gan yr Arglwydd Attlee, Mr George Thomas, a gwŷr a gwragedd amlwg iawn ym mywyd Lloegr, oedd 15 miliwn o enwau. Ond 500,000 yn unig a gasglwyd, trwy Loegr, Sgotland a Chymru. Casglwyd hanner hynny ar ein Deiseb ni, yng Nghymru yn unig. Ar gyfartaledd o'r un boblogaeth yr oedd Deiseb Senedd i Gymru cystal â rhyw 5 miliwn o enwau —union 10 gwaith mwy nag a gafodd Deiseb y Bom Hydrogen, un o'r deisebau hawsaf a drefnwyd yng ngwledydd Prydain yn y cyfnod ar ôl y rhyfel.

Cafwyd enwau o bob rhan o Gymru, o'r ardaloedd Cymraeg a'r rhai di-Gymraeg, o'r ardaloedd gwledig yn ogystal â'r rhai trefol a gweithfaol. Gofod a balla imi roi rhestr yma ond rhaid enwi'r Rhondda lle caed 32,000 o enwau'n rhwydd iawn. Cadarnle Llafur a chartref Mr Iori Thomas, a chymoedd cyfagos etholaeth Mr Ness Edwards —yn gryf o blaid. Fel y dywedais dangosodd y ffigurau i bawb di ragfarn fod yn tynnu at 80 y cant o'r bobl yr ymwelwyd â hwy yn gefnogol.

Ni waeth heb â bychanu'r Ddeiseb trwy weithio'r cyfartaledd a arwyddodd ar nifer yr etholwyr; ni honwyd un waith ein bod yn bwriadu ymweld â phob etholwr ymhob man trwy Gymru. Yr hyn a wnaed oedd ymweld â nifer digon mawr i gadarnau bod cefnogaeth eang i Senedd. Gwnaed hynny trwy ymweld â rhyw 300,000 a chael enwau o leiaf 240,652 o blaid. Yr oedd y sampl y sylfaenwyd ein cyfartaledd ni arno yn llawer mwy — tua 200 mwy —na'r samplau a ddefnyddia cyrff proffesiynol wrth asesu barn y cyhoedd. Gwir y dywedodd yr Athro Hywel D. Lewis, ar y pryd, fod gagendor mawr rhwng y werin a'i harweinwyr gwleidyddol ar y mater hwn. Profodd y Ddeiseb hynny'n derfynol. Mewn cyfarfod yn Nolgellau â Neuadd Idris yn llawn trosglwyddwyd y Ddeiseb i Goronwy Roberts fel y gallai ei chyflwyno i'r Senedd ym mis Ebrill. Yn ôl rheolau'r Tŷ ni châi annerch wrth ei chyflwyno, dim ond cyflwyno ffurfiol yn unig. Ar ôl hynny aeth dirprwyaeth o'r Pwyllgor Canol i weld Gwilym Lloyd George, Gweinidog Materion Cymreig a'r Gweinidog Cartref yn y Llywodraeth Dorïaidd, i esbonio'r Ddeiseb ac i apelio ato i'w chefnogi a pherswadio ei blaid ei hun i fwrw'i choelbren o'i phlaid. Pwysleisiodd Lady Megan, a arweiniai'r ddirprwyaeth, arwyddocâd y Ddeiseb yng Nghymru a chaed sylwadau gan Goronwy Roberts ac eraill.

Ymhen yr hir a'r hwyr, fel yr oedd llawer wedi darogan eisoes, cawsom wybod na fwriadai'r llywodraeth weithredu o gwbl. Cyn bo hir, wedi i'r pwyllgor priodol roi chwydd wydr ar yr enwau, darganfu fod ambell enw, eithriadau prin iawn yma ac acw, heb gyfeiriad wrtho, neu efallai bod amheuaeth ynghylch llofnod —y mân bethau hynny sy'n codi'u pennau gyda Deiseb bob amser —ond ni phrofwyd bod cynifer ag un enw wedi ei ffugio. Manteisiodd rhai ar hyn i daflu anfri ar y

Ddeiseb —J. Idwal Jones, A.S. Wrecsam yn arbennig —ond ni lwyddasant i wneud hynny oherwydd gwyddai'r rhai a'i cefnogai ac a fu'n casglu'r enwau fod yr enwau'n gwbl ddilys.

Beth am werth yr Ymgyrch a'r Ddeiseb? "Fe wnaeth yr Ymgyrch ddirfawr les" meddai Gwynfor; bu'n "werth chweil" meddai J.E. O gofio am ganlyniadau etholiad 1955 prin y gallai unrhyw genedlaetholwr anghytuno. Beth am rai ystyriaethau eraill —

1. Bwriodd i'r llawr nifer o ragfarnau a chynhesodd yr hinsawdd wleidyddol tuag at Senedd.
2. Addysgodd y Cymry yn eu cenedligrwydd a'u hawliau a helpodd i ddeffroi yr ymwybyddiaeth genedlaethol a chadarnhau hunaniaeth Cymru.
3. Rhoes Senedd i Gymru ar y map gwleidyddol yng Nghymru ac oddi allan.
4. Dangosodd fod gagendor rhwng gwerin bobl Cymru a'u harweinwyr gwleidyddol ac na ellir ennill Senedd i Gymru o'r tu mewn i'r pleidiau Prydeinig.
5. Gweithred genedlaethol Gymreig ydoedd a ddarganfu fod yn aros yng Nghymru o hyd gorff cryf o bobl nad anghofiodd eu tras a'u hanes a hawl gynhenid y genedl y perthynent iddi i hunan lywodraeth. Dylasai "dirfawr les" ddod o hyn ac fe fu'r Ymgyrch yn "werth" chweil". Sut by. aed mân welliannau —os dyna'r gair —, rhai gweinyddol, yn f :dyn ac yna yn 1964 Ysgrifennydd i Gymru a Swyddfa Gymreig yng Nghaerdydd —deupeth sy'n pwysleisio hunaniaeth Cymru.
6. Yn fwy na dim, efallai, parodd i Gymry Cymraeg a di-Gymraeg ddod ynghyd i gydweithio â'i gilydd yn un corff unol, annibynnol — gwleidyddion a gwŷr a gwragedd cyhoeddus na feiddiai rai blynyddoedd ynghynt ddod dan yr un to ar bwnc gwleidyddol.

Cafwyd hynyna o leiaf, a hynny yn nannedd gwrthwynebiad ffyrnig, camarweiniol y Blaid Lafur a'i Chyngor Rhanbarthol Cymreig, Cynhadledd y Glöwyr, a'r ofn a osododd y Blaid Lafur ar bwyllgorau lleol yr etholaethau rhag iddynt helpu yn yr Ymgyrch; gwrthwynebiad parhaus ac yn fynych cïaidd y Torïaid a'r Wasg Saesneg ddyddiol, a lleol hefyd gan amlaf, a chlaerineb rhai o arweinwyr y Rhyddfrydwyr megis Clement Davies ac R. Hopkin Morris na chododd fys bach i helpu dim arnom. Serch hynny, i bob pwrpas, cyraeddasom y nod a braenarwyd peth ar y tir.

Gwell i Lady Megan gael y gair olaf: yn y cyfarfod yn Nolgellau yn cyflwyno'r Ddeiseb i Goronwy Roberts dywedodd am yr Ymgyrch: "Mae llygaid y Ddraig yn fwy byw nag erioed, daw gwreichion o'i ffroenau, a chafodd ambell un ergyd gan ei chynffon".

Ymlaen â'r frwydr.

Phil Williams

PLAID CYMRU A'R DYFODOL

Wrth i ni rannu hanes yn cyfnodau ar wahân y mae'n bwysig iawn ein bod yn gosod ein ffiniau yn y mannau iawn. Gwelaf - mai am Blaid Cymru 1966-74 a'r dyfodol yr wyf i fod i siarad, ond gyda'ch caniatâd mi newidiaf y pennawd a siarad am Blaid Cymru o 1959 ymlaen, gyda pheth mwy o bwyslais ar y cyfnod o 1959 hyd at efallai 1969.

Ac edrych o'r byd y tu allan, 1966 yn wir oedd y man cychwyn i Blaid Cymru. Cofiaf weld pennawd papur newydd —*The day the Celts came in from the cold*. O safbwynt Llundain nid oedd Plaid Cymru'n bod cyn Gorffennaf 1966, ac yna llamodd i'w lawn dwf dros nos, ac yn ddiamau disgwyliai Llundain i'w thranc fod yr un mor sydyn. Gallai haneswyr syrthio'n hawdd i'r un fagl. Cyhoeddodd Gwasg Prifysgol Cymru'n ddiweddar thesis Ph.D. Alan Butt Philip. Cyfaddefaf yn agored ei fod yn llawer mwy darllenadwy na'm thesis Ph.D. innau, ond llyfr siomedig a chamarweiniol ydyw mewn llawer modd. Yn *The Welsh Question* y mae Butt Philip yn bendant yn gweld 1966 fel y trobwynt, ond fel hanesydd rhaid yw iddo roi inni beth cefndir, felly allan y daw'r llyfrau nodiadau. Rhydd i ni astudiaeth fanwl o Blaid Cymru o'r cychwyn, a daw i'r casgliad mai cyfnod o fynd gyda'r lli ac ymchwalu oedd 1958-1966. O'r tu allan dyna'n sicr sut yr ymddangosai. Cofiaf erthygl gan Mervyn Jones yn y *New Statesman* wedi Etholiad Cyffredinol 1966, lle y tynnai sylw at y rifyddeg seml: 78 mil o bleidleisiau ym 1959, 69 ym 1964, a 61 mil ym 1966, gan ddehongli hyn fel machlud terfynol y mudiad cenedlaethol yng Nghymru. Cofiaf imi sgrifennu i'r *New Statesman* i ddangos nad felly yr oedd hi o gwbl, ond ni chyhoeddwyd y llythyr. A syrthiodd Butt Philip i'r un camgymeriad. Y mae'n edrych ar ganlyniadau'r etholiad cyffredinol; astudia'n fanwl hefyd ganlyniadau'r etholiadau lleol, ac ymboena hefyd i archwilio ffigurau ein haelodau ni, a geilw'r bennod yn *1959-1966, Drift and Fragmentation*. Wel, yr wyf yn anghytuno'n llwyr.

Ymunais i â Phlaid Cymru ym 1961 ar ôl chwe blynedd yn y Blaid Lafur, a gwneuthum hynny, os caf ddweud, er gwaethaf barn ddi-sigl hen wraig filwriaethus braidd a drigai yn y tŷ pen yn Laurence Terrace yn Nhroedrhiwfuwch, a dybiai i mi gael fy rhwystro yn fy uchelgais bersonol yn Blaid Lafur. Gwae'r Blaid Lafur, y mae graddedigion Rhydychen neu Gaergrawnt yn llwyddo'n well o lawer ynddi na glowyr o Dde Cymru! Ond credaf ei bod yn arwyddocaol na chroesodd fy meddwl o gwbl i ailymuno â'r Blaid Lafur. Yn wir, pe buaswn yn perthyn i'r blaid a amlinella Butt Philip, buaswn yn wir wedi ailfeddwl. Mewn gwirionedd, wrth edrych yn ôl arno, rhaid imi gyfaddef imi fwynhau'r cyfnod hwnnw yn anghyffredin. A bod yn deg, yr oedd y merched yn y Blaid yn brydferthach o lawer, y caneuon yn fwy soniarus, ac fe fu adeg, mae'n rhaid imi gyfaddef, pan fyddai presenoldeb dau neu fwy o aelodau'r Blaid fel petai'n warant y byddai un dafarn o leiaf ar agor tan dri y bore yn unrhyw ran o Gymru!

Ond o ddifri, y blynyddoedd rhwng 1961 a 1966 oedd y cyfnod mwyaf cyffrous —yn wleidyddol —y cefais i brofiad ohono. Roedd yn gyfnod anodd a rhwystredig, oedd —ond dyma'r cyfnod pan oedd Plaid Cymru yn magu nerth o ddifri ar gyfer y torri trwodd a oedd i ddod.

Felly beth oedd y trobwynt? Rhaid i hyd yn oed Butt Philip chwilio am ryw wyrth i droi'r Blaid ddigyfeiriad y soniai ef amdani yn fudiad gwleidyddol a allai ruthro i fuddugoliaeth yn isetholiad Caerfyrddin. Ei ddewis ef yw'r gwrthdystiad i agor Tryweryn. Nid yw'n fy narbwyllo i. Efallai ei fod yn rhan o'r gwir ond os yw'n wir mai yn 1965 y bu'r trobwynt —a hynny a ddywedai llawer —yn fy marn i, Ysgol Haf Machynlleth ydoedd, a hynny'n arbennig fel arwydd o'r hyn a oedd yn digwydd mewn gwirionedd yn y Blaid. Yr oedd y penderfyniad ar lywodraeth leol a basiwyd y flwyddyn honno yn llawer mwy arwyddocaol o'r hyn a oedd yn digwydd. Gyda llaw rwy'n darogan y clywn lawer mwy am y penderfyniad hwnnw ar lywodraeth leol.

Y mae Cymru heddiw'n llawn o ffoedigion yn dianc rhag llwyr fethiant ad-drefniant llywodraeth leol. Y Blaid Lafur oedd penseiri trefn bresennol llywodraeth leol ac na foed iddynt anghofio hynny. Hwy nawr sydd wedi llunio gweithgor i ailystyried, ac rwyf wedi gweld drafftiau rhai o'r papurau. Y mae'r Rhyddfrydwyr hefyd yn edrych y ddwy ffordd —fel arfer. Cyfeddyf hyd yn oed y Torïaid, er mai hwy'n y pen draw a ddug y drefn bresennol i fod, mai trychineb ydoedd, ond y mae gan-ddynt yr hyfdra i ddefnyddio hyn fel dadl yn erbyn unrhyw newid pellach. Ond credaf y cawn weld yn yr hydref gytundeb ysgubol ac unfrydol bron rhwng gwleidyddion, undebwyr llafur, swyddogion a chynrychiolwyr llywodraeth leol, ynglŷn â'r patrwm mwyaf synhwyrol o lywodraeth leol i Gymru, ac fe wel-ant ei fod yn ei holl fanylion yr union bolisi a basiwyd gennym ni yng Nghynhadledd Machynlleth deng mlynedd yn ôl.

Rwy'n dewis sôn am y penderfyniad arbennig hwnnw oblegid, hyd y gwelaf i, dyna'r tro cyntaf i'r Blaid ddatblygu unrhyw bolisi arbennig mor fanwl fel y gellid ei gyflwyno i gynlluniwr polisïau seneddol i'w lunio'n fesur o ddeddfwriaeth. Nid o ddim y tarddodd y polisi hwnnw, a drefnwyd mor fanwl, felly y mae fel ceisio olrhain gwreiddiau pren. Yr wythnos ddiwethaf bûm yn ceisio dadwreiddio pren, ond waeth faint mor bell yr awn, yr oedd o hyd rywfaint pellach i fynd, ac wrth ysgrifennu hwn yr wyf yn fy nghael fy hun yn mynd yn ôl ymhellach ac ymhellach ond yr oedd yn rhaid imi aros yn rhywle, neu fe fyddwn yn tresmasu ar faes Elwyn, ac mi gredaf, gydag Etholiad Cyffredinol 1959.

Credaf mai dyna oedd gwir drobwynt Plaid Cymru. Wn i ddim pryd y cyhoeddodd Plaid Cymru gyntaf y byddai'n hawlio hunanlywodraeth ar unwaith wedi iddi ennill mwyafrif seddau Cymru. Etholiad 1959 oedd y tro cyntaf i'r Blaid gynnig am fwy na hanner seddau Cymru, gan roi ugain ymgeisydd ar y maes. Ac eithrio Brycheiniog a Maesyfed ymladdodd am sedd ymhob sir yng Nghymru, gan gynnwys Fflint a Gwent, a dyma'r tro cyntaf iddi gynnig am wyth o'r seddau —Caerffili er enghraifft. Yr oedd y canlyniad yn syndod. I rywun fel fi a fuasai'n brysur gyda gwleidyddiaeth am flynyddoedd, yr oedd y cyfartaledd ym 1959 o yn agos i bedair mil o bleidleisiau ym-hob etholaeth yn drawiadol iawn.

Yr oeddwn wedi darllen Jennings ar wleidyddiaeth plaid, a gwyddwn gymaint oedd anfantais unrhyw blaid newydd a oedd yn cynnig am y tro cyntaf mewn etholaeth. O edrych ar hanes pleidiau lleiafrifol yn Lloegr, rhai dymunol ac annymunol fel ei gilydd, *Commonwealth*, y Ffrynt Genedlaethol, Plaid Chwyldro-adol y Gweithwyr, *Union Party*, Democratiaid Newydd, Democratiaid Cymdeithasol, a hyd yn oed y Blaid Gomiwnydd-ol, gwelwn mai'r bleidlais arferol i blaid nad yw ym mhrif rediad gwleidyddiaeth Seisnig yw pedwar cant yn hytrach na phedair mil, a gŵyr y rhan fwyaf yn y neuadd hon yn iawn fod y naid o bedwar cant i bedair mil mewn etholaeth yn anos lawer na'r naid bellach o bedair mil i ugain mil.

Wedi 1959, yn ôl safonau gwleidyddiaeth yn y deyrnas hon, ni ellid ystyried y Blaid mwyach fel plaid ymylol, ac yn wir mewn llyfr a gyhoeddwyd ddeng mlynedd yn ôl ar y pleidiau ymylol ym Mhrydain yr oedd y Blaid eisoes wedi ei gosod ar wahan i'r lleill.

Credaf fod peth arall yn amlwg yng nghanlyniadau 1959: yr oedd llwyddiant yn dibynnu ar waith cyson dros nifer o flynyddoedd. 7% o'r pleidleisiau oedd y cyfartaledd ar gyfer yr wyth sedd a ymladdasom am y tro cyntaf ym 1959. Yn y chwech lle'r oeddem yn ymladd am yr ail neu'r trydydd tro ein cyfran oedd 9%. Yn y chwe sedd lle'r oeddem eisoes wedi ymladd bedair gwaith neu fwy yr oedd y cyfartaledd yn 16%. Y mae'r patrwm hwn wedi dal yr un ym mhob etholiad cyffredinol er hynny, ac yr wyf wedi gwneud dadansoddiad cyflawn o nifer ohonynt.

A defnyddio iaith ystadegydd, y mae cyfernod cydberthyniad o 70% rhwng y nifer o droeon yr ymladdsom y sedd ac —i sôn am enghraifft benodol er mwyn gwneud yr ystyr yn gliriach — Caernarfon yw'n henghraifft glasurol. A pheidio â sylwi am y tro ar gymhlethdod newid y ffiniau ym 1945, y mae'n cyfran o'r bleidlais mewn deuddeg etholiad cyffredinol olynol yng Nghaer-narfon fel a ganlyn —1%, 3%, 7%, 6%, 21%, 22%, 33%, 40%, a 43%, a dyna reswm ystadegydd tros ymladd pob etholiad ym mhob etholaeth. Y dygnwch, y cysondeb, y penderfyniad i ddal i ymladd oedd yn arbennig i Blaid Cymru, ac yr ydym yn dechrau medi'r ffrwyth.

Tybiaf mai'r prif reswm dros ymladd mor eang ym 1959 oedd cynnull ynghyd y rhai oedd yn aelodau o'r Blaid eisoes ac ennill aelodau newydd. Dyna'n sicr a ddigwyddodd yng Nghaerffili. Rwy'n ceisio meddwl beth oedd fy syniad am Blaid Cymru ar wahanol adegau yn fy mywyd, a chyn imi fynd i Gaergrawnt ym 1957 rhaid fod gennyf gamsyniad arswydus am genedlaetholdeb Cymreig. Fy mhrif ddelwedd oedd o ddynion bychain encilgar yn gwisgo i fyny ar gyfer Eisteddfodau, yn gwrthod siarad Saesneg, ac yn sleifio allan wedi nos i baentio sloganau —slogan-au effeithiol iawn! Lawer blwyddyn yn ôl crewyd cryn argraff arnaf pan welais y geiriau *Wales a Republic* ar Bontffordd Hengoed. Ond rhaid nad oedd gan lawer ond syniadau bratiog a gwyrdröedig am y Blaid.

Peth od iawn yw mai ar ôl mynd i Gaergrawnt, a'm cael fy hun yn rhannu ystafell ag aelod o Blaid Cymru, a chwrdd â Meirion Lloyd Davies ac eraill y deuthum i wybod yn well. Fy ymateb cyntaf oedd dadl ffyrnig —dadl ffyrnig a aeth ymlaen ddydd a nos rhyngof a'm cymar ystafell am ddwy flynedd. Y mae'n debyg fod hynny wedi cael effaith arnaf. Yna daeth Etholiad Cyffredinol 1959, a minnau yng Nghaerffili yn gwneud fy nghyfraniad bach diangen dros y Blaid Lafur, a gweld yn sydyn a chwbl annisgwyl fod gan Blaid Cymru ymgeisydd a chwalai ragfarnau pawb. Ym Mhacistan y magwyd John Howell; ni fedrai Gymraeg a bu'n gweithio yn y diwydiant awyrennau yng Nghaliffornia. Er hynny ni phoenaf am ragfarnau neb cyhyd ag y bônt yn gwbl afresymol, canys gall y sioc o sylweddoli'r gwir gael effaith drawmatig ar bobl sydd â rhagfarn gwbl ddireswm. Y mae'n dipyn anos gyda'r rhai nad yw eu rhag-farnau ond ychydig yn anghywir.

Ond yn sicr yr ymgyrch yna ym 1959 oedd y trobwynt i mi, ac y mae'n debyg fy mod yr adeg honno fwy na hanner ffordd i ymuno â'r Blaid, a phan o'r diwedd y darllenais faniffesto'r Blaid, *Free Wales*, credaf mai dyna oedd y trobwynt. Bûm innau'n un o gwmni bach yn sgrifennu pamffled â'r teitl *Socialism for Tomorrow*, lle dadleuid mai'r nod pwysicaf i un-rhyw radical cyfoes oedd ceisio datod y cyfuniadau grym, a'r cyfuniadau pŵer mewn diwydiant neu mewn llywodraeth, lle roedd gan ychydig o bobl rym anferth. Mewn ffordd, ceisio yr oeddem —yn amhrofiadol iawn —lunio'r math yna o faniffesto. Yn sydyn, er ei holl feiau, cefais y maniffesto cyfan mewn un

Is-etholiad Caerffili, Gorffennaf 18, 1968.
Lluniau Iolo ap Gwynn.

ddogfen, ac ymunais â Phlaid Cymru.

Nid fi oedd yr unig un a wnaeth hynny yng Nghaerffili yn ystod yr etholiad hwnnw. Un diwrnod, a John Howell ac Alf Williams yn defnyddio'r uchelseinydd ym Mhontlotyn, yr oedd gŵr ifanc newydd ddychwelyd adref o'r pwll, ac yn bwyta'i swper yn y gegin gefn. 'Chododd e ddim, ond gwrando'n astud. Bum mlynedd wedyn, ym 1964, a minnau'n ymladd Caerffili am y tro cyntaf, yr oedd y gŵr ifanc hwnnw, Dave Walters, allan gyda ni bob dydd o'r ymgyrch gyfan, a phan fyddem yn defnyddio'r uchelseinydd mewn teras wag, a neb yn y golwg, heb hyd yn oed ddrws yn agored, dywedai, "Paid â phoeni, Phil, mae yna foi lawr fan'na yn cael ei swper. Mae e'n gwrando'n astud, a bydd i lawr yn dy dŷ 'fory yn moen yn ymuno". Mynnu gweld yr ochr olau bob amser yr oedd Dave. A minnau'n minnau'n mynd i lawr stryd wedi ei phlastro â phosteri Llafur, dywedai, "Dyna ni. Dim ond deg-ar-hugain o sticeri Llafur. Deuddeg-ar-hugain hebddynt, a sut y gwnan nhw fotio?"

Ailadroddwyd trwy Gymru gyfan y patrwm hwn o ricriwtio aelodau newydd, fel yng Nghaerffili, ac ar ôl 1959 fe gafwyd, mi gredaf, fewnlifiad newydd o aelodau, a ffurfiai mewn ffordd elfen gwbl newydd yn y Blaid. Buasai llawer ohonom yn y Blaid Lafur am flynyddoedd, a bodau gwleidyddol oeddem hyd flaen-au'n bysedd, ac yn anad unpeth, deallem mai â grym y mae a wnelo gwleidyddiaeth, a dyna wers nad yw'r Blaid Lafur erioed wedi ei hanghofio. Pa beth bynnag arall a anghofiasant y maent yn deall grym. Am y tro cyntaf cafwyd mewnlifiad mawr o aelodau i'r Blaid na fedrent Gymraeg, ac yn cynrychioli ardal-oedd diwydiannol Cymru. Yr oedd y Blaid yn datblygu'n wirioneddol yn blaid Cymru gyfan, ac felly yn hyn o beth etholiad 1959 yn y pen draw a wnaeth Blaid Cymru'n llwydd-iant.

Ond wrth gwrs dwg unrhyw gyfnewid fel hyn ei broblemau, ac yn fuan cafwyd cyfres ohonynt, a bu rhaid penderfynu ynglŷn â thri pheth hanfodol, tair sialens y bu rhaid eu hwynebu. Yn gyntaf, beth oedd lle priodol Plaid Cymru? Yn ail, beth oedd y peirianwaith priodol i sicrhau hynny? Ac yn drydydd sut orau y gellid osgoi'r ymchwalu sydd mor nodwedd-iadol o bleidiau lleiafrifol? 'Wn i ddim a oedd yna aelodau gwir

weithgar yng Nghymru yn gofyn y cwestiynau yn y modd hwn y
pryd hynny, ond myfyriwr ymchwil yng Nghaergrawnt oeddwn
i, ac yr oedd yno grŵp cryf o bleidwyr. Y mae'n eglur na allent
roi eu hamser fel y dylid i ganfasio a lecsiyna, a lleddfent eu cyd-
wybod drwy ymroi i ofyn y cwestiynau hyn mewn ffurf fanwl
iawn, ac o leiaf i ystyried atebion. Credaf mai'r cwestiwn cyntaf
oedd bwysicaf. Beth yn union oedd lle Plaid Cymru ar ôl 1959?
Hyd at hynny yr oedd y Blaid wedi datblygu fel ymbarel i'r
cwbl o'r mudiad cenedlaethol yng Nghymru. Yr argraff a gefais
yn fy Ysgol Haf gyntaf oedd ei bod yn ddeelledig y dylai holl
sbectrwm gweithgarwch cenedlaethol fynd trwy unig sianel
Plaid Cymru, a chredaf i hynny fod yn briodol yn y tridegau a'r
pedwardegau pan oedd holl ddyfodol Cymru fel cenedl yn
dibynnu ar lwyr ymroddiad dyrnaid bychan o bobl, ac mai
felly'n unig y gellid gwneud pryd hynny. Ond gyda thyfiant y
mudiad, yr oedd y tensiynau'n cynyddu, oblegid ar ôl 1959 yr
oedd fel petai pawb yn disgwyl am rywbeth gwahanol gan Blaid
Cymru.

Yr oedd amryw a ddisgwyliai i Blaid Cymru fod yn fudiad
iaith yn bennaf ac, a bod yn deg, ar un olwg dyna oedd y bwriad
gwreiddiol hanner canrif yn ôl. Yr oedd nifer o'r rhain o'r farn
fod gormod o ymdrech yn mynd i ymladd etholiadau a'r iaith ar
drai trwy Gymru. Ar yr un pryd teimlai llawer o'r aelodau
newydd o'r de-dwyrain, fel finnau, y pryd hynny, fod llawer
gormod o sylw yn cael ei roi i'r iaith. Credaf fod y gwrthdynnu
hwn wedi ei setlo'n llwyr ers hynny. Ond dyna'r math o beth a
ddadleuid yr adeg honno. Yr oedd cryn ddadlau ynglŷn â'r
ffordd yr oedd Plaid Cymru ynghlwm wrth fudiadau rhyngblaid
fel C.N.D., nad oeddynt yn uniongyrchol berthnasol i genedl-
aetholdeb Cymreig. Ac yna yr oedd eraill a siomwyd yn fawr
gan ganlyniadau 1959, ac a ddymunai weld Plaid Cymru yn
gweithredu'n uniongyrchol.

Ysgol Haf Llangollen, 1961, oedd y gyntaf i mi, a'r pwnc
mawr y pryd hynny oedd ymateb y Blaid i foddi Tryweryn.
Gwrthodwyd gyda mwyafrif mawr gynnig am weithredu union-
gyrchol yn wyneb gweithredoedd ymosodol, ac yr oedd yno
awyrgylch o ddicter a rhwystredigaeth hawdd ei ddeall. Yr oedd
yna rai â'u teyrngarwch i'r mudiad mor ddwys a dwfn fel na

fedrent hystyried y mater yn oeraidd, ac yn wyneb digwyddiad fel Tryweryn, yr oedd yna wanobaith llwyr, ac angen emosiynol clir am drobwynt dramatig. Rwy'n cofio dadlau hyd oriau mân y bore yn Llangollen, a thro ar ôl tro cyfeiriwyd at Benyberth, ac weithiau at y Swyddfa Bost yn Nulyn. Ond, eto'i gyd, er i lawer o unigolion gael eu hysbrydoli gan Benyberth i wneud eu gorau dros Gymru, ni sicrhaodd unrhyw doriad gwawr gan nad oedd y peirianwaith gwleidyddol yn bod trwy Gymru, ac yn y pedwardegau bu rhaid i'r mudiad i raddau ailgychwyn. A pheth arall y dylid ei gofio yw fod 1916 yn dilyn deugain mlynedd o oruchafiaeth etholiadol gan y Blaid Seneddol Wyddelig.

Y rhain oedd y dadleuon, y tyndrâu, ac er na fynnaf ei thrafod heddiw, yr oedd hefyd y ddadl foesol hanfodol ynglŷn â defnyddio dulliau uniongyrchol. Fe'm trawyd yn rhyfedd ar fy ymweliad cyntaf ag Ysgol Haf o'r Blaid fod pobl yn tybio mai plaid wleidyddol oedd y cyfrwng priodol ar gyfer gweithredu uniongyrchiol, pa un a oedd y weithred honno yn un y gellid ei chyfiawnhau ai peidio. Rhyfeddach fyth i dipyn o synig a oedd i raddau y tu allan i bethau oedd gweld cefnogwyr gweithredu uniongyrchol yn barnu mai cyflwyno a chadarnhau cynnig ffurfiol mewn Cynhadledd Flynyddol oedd y cam beiddgar cyntaf y dylent ei gymryd.

Ond parhau a wnâi'r amwysterau hyn cyhyd ag y byddai'r Blaid yn cymryd arni i fod yn drefniant ymbarel, neu fod pobl yn dal i dybio mai dyna ydoedd hi, a chofiaf am gyfarfod a gawsom yng Nghaergrawnt yn gynnar ym 1962 pan oeddem ninnau hefyd yn cymharu'r sefyllfa yng Nghymru â honno yn Iwerddon ar droad y ganrif. Bryd hynny yr oedd Sinn Fein am ddisodli'r Blaid Wyddelig fel erfyn gwleidyddol y mudiad cenedlaethol; y Cynghrair Gwyddeleg yn ymdynghedu i edfryd yr iaith Wyddeleg; y Gymdeithas Wyddelig Athletaidd yn trefnu chwaraeon traddodiadol Gwyddelig; y Mudiad Cydweithredol Amaethyddol, y Mudiad Undebau Llafur dan arweiniad rai fel Connolly, y theatr, y cwbl yn rhannau o'r Mudiad Cenedlaethol —heb sôn am yr I.R.B. Yr oedd y rhwyd wedi ei thaflu mor eang fel nad oedd angen i ŵr ifanc wneud mwy na mwynhau chwarae bando (*hurling*) ar brynhawn Sul, ac yr oedd wedi ei dynnu i fewn i'r mudiad.

Teimlem mai'r angen cyntaf oedd cael mudiad iaith arbennig yng Nghymru fel y gallai'r Blaid ganolbwyntio ar faterion gwleidyddol pur, ac yr oedd yn amlwg fod llawer o rai eraill yn meddwl yr un ffordd ar yr un pryd mewn amrywiol rannau o Gymru, ond heb fod mor feiddgar â ni yng Nghaergrawnt! Mi gofiaf y dull haerllug y penderfynsom —yn union fel y rhannai brenhinoedd Sbaen a Phortiwgal yn yr Oesoedd Canol y byd rhyngddynt —fod John Bwlchyllan yn mynd i helpu i sefydlu mudiad iaith, a minnau i edrych ar ôl yr agwedd wleidyddol. Yn hwyrach y noson honno a ninnau ar ein trydydd peint edrychasom eto ar Iwerddon a chofio mai arweinydd mudiad yr iaith a ddewiswyd yn Llywydd cyntaf y Weriniaeth, ac yna treuliasom noswaith ddifyr yn dyfalu pa un o'r tai bonheddig yng Nghymru a fyddai orau gennym fel plas i'n llywydd, a pha un ohonynt a ddylai fod yn *Chequers* Cymru. Credaf mai ar Blas Llansteffan yr oedd fy llygad i.

Yn ddiweddarach y flwyddyn honno ffurfiwyd Cymdeithas yr Iaith ym Mhontarddulais, a John oedd yr ysgrifennydd cyntaf. Awgrymodd sawl sgrifennwr mai torri i ffwrdd yn ddig oddi wrth Blaid Cymru a wnaeth y Gymdeithas. Y mae'n bwysig cofnodi i'r Gymdeithas gael ei sefydlu gan fod llawer iawn o aelodau teyrngar Plaid Cymru yn teimlo'r angen am fudiad iaith annibynnol. Yr oedd ei sefydlu yn ganlyniad cynnig i'r Gynhadledd, ac ar un olwg yr oedd mudiad yr iaith yn blentyn iachus iawn i'r Blaid yr adeg honno. Credaf fod yr achos cenedlaethol yng Nghymru wedi ei atgyfnerthu'n fawr iawn er 1962 gan dwf mudiadau eraill cyfredol —Cymdeithas yr Iaith, Adfer, Tai Gwynedd, Antur Aelhaearn, Merched y Wawr, Sain, Mudiad Ysgolion Meithrin a llawer iawn o rai eraill sy'n ffurfio sbectrwm helaeth o fudiadau. Bu Plaid Cymru yn rhyddach i ganoli'n gyfan gwbl ar ei gwaith gwleidyddol, canys dyna ei gwir phwrpas.

Ond yr oedd o hyd un dewis hanfodol arall i'w wneuthur, a'r wythnos ddiwethaf wrth edrych trwy fy nodiadau, cefais hyd i nodyn a wnaethpwyd gennym mewn cyfarfod arall eto o'r grŵp yng Nghaergrawnt —wrth drafod a ddylai'r Blaid fod yn grŵp gwleidyddol ymwthiol neu'n blaid wleidyddol, ac y mae'r gwahaniaeth yn bwysig dros ben. Y mae grŵp ymwthiol yn ymwneud ag amcanion penodol, ac yn ceisio eu sicrhau trwy dylanwadu ar y bobl sy'n meddu grym. Ceisia plaid wleidyddol feddiannu'r grym hwnnw iddi hi ei hun. Y mae llawer mantais mewn bod yn grŵp ymwthiol. Gall yn fedrus iawn ddygyfor y gefnogaeth fwyaf posibl dros un amcan ar y tro, ac yn y modd hwn yr oedd y Blaid wedi llwyddo'n aml —sefydlu gwasanaeth Cymraeg i'r B.B.C., Deddf Llysoedd Cymru 1944, cael Gweinidog Dros Faterion Cymreig, ac o'r diwedd ac efallai'n bwysicaf oll, sefydlu'r Swyddfa Gymreig, a phenodi Ysgrifennydd Gwladol. Y mae'n werth cofio bod llawer yng Nghaerdydd heddiw a all ddiolch am eu swyddi breision i weithgarwch Plaid Cymru fel grŵp ymwthiol.

Ond nid yw grŵp ymwthiol byth yn debyg o sicrhau hunanlywodraeth. Mewn termau amrwd, ac y mae gwleidyddiaeth yn fater amrwd weithiau, y mae ymreolaeth yn golygu trosglwyddo rheolaeth dros fantolen flynyddol o tua biliwn o bunnoedd; nid rhyw fanion pitw yr ydym yn eu ceisio! Ac weithiau meddyliaf ein bod wrth gwyno am y cam a ddioddefwn fel Plaid, megis ynglŷn â darllediadau gwleidyddol, er enghraifft, yn methu â dirnad yn llawn y bygythiad a wnawn i lawer o'r buddiannau breiniol yn Llundain, ac fe fyddai'n achos pryder mawr i mi pe na bai'r llywodraeth ganol yn ceisio llesteirio'n cynnydd.

Ond nid dyna'n nod —nid swydd grŵp ymwthiol yw ein gwir amcan sylfaenol —ond bod yn blaid benderfynol a gwydn. Ac yr oedd y Blaid yn tyfu i fod felly. Ar un olwg yr oedd hi eisoes dros hanner y ffordd, a hwyrach iddi oedi am gyfnod. Cyn gynted ag yr oedd y Blaid yn dechrau ymladd etholiadau ar raddfa eang, ac ar adegau yn ennill cyfran sylweddol o'r bleidlais, yr oedd ei swyddogaeth fel grŵp ymwthiol yn dirwyn i ben. Wrth ymladd etholiadau yr ydych yn creu gelynion, gelynion grymus, ond wrth gwrs dyna beth y mae'n rhaid i'r grŵp ymwthiol ei osgoi ar bob cyfrif. Heddiw rhaid inni ddeall fod rhagfarn wrth-Gymreig y blaid Lafur mewn rhai rhannau o Gymru — Morgannwg Ganol, er enghraifft —yn deyrnged uniongyrchol i'n cynnydd ni, gan fod rhaid i Lafur ystyried cenedlaetholdeb Cymreig fel gelyn gwleidyddol o'r radd flaenaf. Unwaith yr ymladdwch etholiadau ar ffrynt eang, a dyna oedd y trobwynt ym 1959, yr ydych wedi ymrwymo i wleidyddiaeth, ac wedyn nid cyfle yw etholiadau i gyflwyno dadleuon academaidd ynglŷn ag adnoddau Cymru. O hynny ymlaen unig amcan etholiad yw ennill, a sicrhau grym i'r mudiad Cymreig, a'r gwir gymhwyster i'n hymgeiswyr oedd yr ysfa am rym, a'r penderfyniad i gael trefnu pethau yng Nghymru.

Wrth gwrs yr oedd yn gofyn ysbaid o amser i sicrhau'n cyfnewid hwn o fod yn grŵp gwleidyddol effeithiol i fod yn blaid wleidyddol. Yr oedd Plaid Cymru mewn gwirionedd wedi gwneud y penderfyniad ym 1959, ond heb ymddihatru oddi wrth amryw o agweddau grŵp ymwthiol, ac i fyny at 1966 fe gafwyd o hyd ymgeiswyr yn ymladd etholiadau heb ddisgwyl ennill. Yr oeddynt yn dangos eu hochr, yn sefyll eu tir, yn taenu'r neges, neu rywbeth; yn sicr nid oeddynt yn ymladd i ennill, a synhwyrai'r etholwyr hyn yn burion. Ac yr oedd un achos —ni wnaf enwi neb —wedi Caerfyrddin o ymgeisydd yn tynnu'n ôl am iddo sylweddoli'n sydyn y gallai ennill, a hynny o ddamwain! Credaf mai un o'r arwyddion mwyaf iachus yn y Blaid heddiw yw'r newid agwedd meddwl wrth ddewis ymgeiswyr. Aeth heibio'r dyddiau pan y gwasgwyd ar amryw o bobl, a'r un a roes i fewn gyntaf oedd yr ymgeisydd. Heddiw y sefyllfa mewn llawer o etholaethau yw, fod amryw o rai cymwys dros ben yn cystadlu'n frwd i gael ymladd i ennill dros Blaid Cymru, a sefyllfa iachus iawn ydyw.

Felly yn fy marn i, yn y cyfnod hwn o 1959 hyd 1966 y gwelwyd newid o fod yn grŵp ymwthiol i fod yn rym gwleidyddol, ac fel pob cyfnod o newid yr oedd yn anodd a rhwystrus. Ymddangosai'n aml ein bod yn llithro ddeugam yn ôl am bob cam ymlaen. Ennill tair sedd ym Merthyr, ac yna colli pob un. Ennill pedair sedd yn Rhydaman a'u colli. Ennill seddau yn Aberystwyth a'r Wyddgrug a'u colli. Ond yn ystod y cyfnod hwnnw yr oeddem yn dysgu llawer. Yn gyntaf, dysgu, ond inni gael yr ymgeisydd iawn, y gallem ennill yn lleol ym mhob rhan o Gymru, ac yr oeddem hefyd yn dysgu oddi wrth ein camgymeriadau. Yn aml colli sedd am fod ein buddugwr wedi ennill heb unrhyw hyfforddiant, heb brofiad, ac heb iawn ddeall ei swydd fel cynghorydd o fewn y mudiad cenedlaethol.

Cofiaf, a minnau'n gwerthu'r *Welsh Nation* yn y tafarnau ym Merthyr ar adeg pan oedd gennym yno dair sedd, y feirniadaeth a glywn dro ar ôl tro —yn amlwg yn gŵyn wedi ei blannu'n dda gan Lafur —oedd fod ein cynghorwyr heb ddweud mwy na 'nos da' ar ddiwedd pob cyfarfod. Yr oedd yn amlwg fod gofyn inni weithio'n galed gan fod cynifer o fylchau yn ein polisi, ond yn raddol trwy ymladd etholiadau daethom i ddeall beth a ddisgwylid, a bod eisiau llawer iawn o ymdrech; dysgasom sut i symud ymlaen. Nid oeddem bellach yn disgwyl am wyrthiau, ond yn gwybod, pe bai gennym ddigon o ddygnwch a phenderfyniad, y byddem yn ennill yn y diwedd.

Ac yn Etholiad Cyffredinol 1966 credaf inni ddarganfod fod gennym y dygnwch, ac yma rhaid imi ychwanegu fy nheyrnged at y teyrngedau lawer a roddwyd i D.J. Ei rodd ef o flaen Etholiad Cyffredinol 1966 oedd yr un haelaf a dderbyniasai'r Blaid erioed, ond ar ben hynny, yr oedd ei hamseriad yn berffaith. Yr oedd yn esiampl ar y foment iawn. Gwn mai'r esiampl honno oedd y trobwynt a'n galluogodd yng Nghaerffili a llawer lle arall i ymladd ar ffrynt eang. O gymharu methiant llwyr y Blaid ymadfer ar ôl etholiad 1950 i ymladd ym 1951, a'r modd yr oeddem yn gallu ymladd ugain sedd ym 1966, y mae'n amlwg fod newid sylfaenol wedi digwydd. Erbyn 1966 nid oedd gennyf mwyach amheuon o gwbl nad oeddem wedi torri trwodd yn wir, a phan gyhoeddwyd is-etholiad yn Nghaerfyrddin sgrifennais at Gwynfor yn cynnig help ac yn proffwydo'n ffyddiog yr enillai. Credaf fod llawer un arall yn teimlo'r un peth; rywfodd yr oedd rhywbeth eisoes wedi newid. Fy thesis yn y ddarlith hon, mewn geiriau eraill, yw nad trobwynt oedd Caerfyrddin ond y cynnyrch pwysig cyntaf i drobwynt oedd eisoes wedi digwydd. Rhwng 1959 a 1966 yr oedd y Blaid wedi ei thrawsnewid yn hollol i fod yn blaid wleidyddol.

Yna trown at yr ail gwestiwn. A swyddogaeth, gwir swyddogaeth Plaid Cymru wedi ei sefydlu, beth oedd y trefniant iawn i'r Blaid er mwyn cyflawni'r swyddogaeth honno? Ymddengys yn syml o edrych yn ôl.

Ond blynyddoedd anodd o gymathu a chyfnewid oedd y rhain, a'r pryd hynny, yn ail i weithredu uniongyrchol, trefniadaeth oedd y gair mwyaf ymfflamychol yn y Blaid yn y chwedegau cynnar. Cwestiwn grym gweithredol oedd yr un cyntaf. Yn ôl yr hen gyfansoddiad, fel y tyfai'r Blaid, tyfai nifer yr aelodau ar y Pwyllgor Gwaith, nes bod hawl gan hyd at saith deg o bobl i fynychu'r cyfarfodydd chwarterol. Ni allai corff mor fawr fyth weithredu'n effeithiol, a'r hyn a ddigwyddai, fel y mynnai'r cyfansoddiad, oedd penderfynu ar faterion pwysig gan y Llywydd a'r Ysgrifennydd Cyffredinol. Gwyddai llawer o'r aelodau hynaf mai'r cyfrifoldeb personol trwm hwn yn unig a gynhaliodd y Blaid trwy gyfnodau dyrys iawn yn tridegau a'r pedwardegau, ond ni wyddai'r aelodau newydd ieuainc a di-amynedd o'r de-ddwyrain ddim am dyfiant y Blaid, a chyda'n cefndir yn y mudiad undebau llafur sefydledig cadarn, neu'r Blaid Lafur, hawliem wrth gwrs adrefniant ar unwaith fel ateb i'n holl broblemau. Hawliem Bwyllgor Gwaith llai o nifer, a mwy effeithiol, a Chadeirydd Cenedlaethol i rannu'r cyfrifoldeb. Dyma'r math o wrthdrawiad a oedd yn arwydd o newid dyfnach yn y Blaid. Cofiaf wrthdaro tebyg ynglŷn ag aelodaeth a threfniant canghennau, a chredaf mai yn awr yn unig, a chyda synnwyr drannoeth y gallaf ddeall fel petai fod yr hyn a ddigwyddodd yn anochel, ac eto gellir cyfiawnhau agweddau'r holl bobl a oedd wedi eu tynnu i fewn i'r hyn a oedd yn aml yn wrthdrawiad chwerw iawn.

Yr oedd gan J.E.Jones fel Ysgrifennydd Cyffredinol y dasg amhosibl o geisio cynnal ysbryd y Blaid yn ystod degau o flynyddoedd pan yr oedd gwir nerth a dylanwad y Blaid yn fach dros ben. Petai ein haelodau i gyd wedi sylweddoli'n llawn mor wan oedd y Blaid tybed faint fyddai wedi gwangalonni a throi'u cefnau arni? Yr oedd gan J.E. y ddawn hudol i greu'r argraff, er mor ddigalon y frwydr o sylwi arni ar ein ffrynt ni, fod yna symud ymlaen pendant rywle tros y bryniau, a bod pawb arall yn disgwyl i ni ddal i fyny! Dyna oedd swyddogaeth hanfodol dyn cwbl hynod yr adeg honno pan oedd y Blaid yn ymsefydlu, ond golygai wrth gwrs fod rhaid i ffigurau aelodaeth gynyddu, a mwy a mwy o ganghennau'n troi'n weithgar, ac yn y diwedd troes y ffigurau aelodaeth yn anobeithiol o optimistaidd, ac ar bapur yn unig y bodolai llawer cangen.

Daeth yn argyfwng ar ôl is-etholiad Trefaldwyn a oedd yn un anodd i'r Blaid, mewn sir lle y mesurir cyfnewidiadau mewn ysbaid o amryw o genedlaethau. Yr adeg honno, fel unrhyw ŵr ieuanc, yr oeddwn yn frwd ac unochrog iawn. Ar un olwg rwy'n sgrifennu hyn fel math o iawn am rai o'm pechodau; ieuanc a diamynedd oeddwn. I mi y pryd hynny, ac i lawer ohonom yn ne-ddwyrain Cymru, Emrys Roberts oedd y Blaid, a'r Blaid oedd Emrys Roberts, a'i bwysigrwydd aruthrol y dydd-iau hynny oedd cadw teyrngarwch yr elfen radical newydd. Yr oeddwn yn aelod o'r grŵp *New Nation* a sgrifennai'n gyson mewn cylchgrawn anwastad ond dylanwadol o'r enw *Cilmeri*, a phan edrychaf yn ôl dros yr amser hwnnw —y drama, y tyndra, y gwrthdaro personol, y drwgdybio —mae'n awr yn anochel, ac mewn ffordd yn beth na ellid ei osgoi; yr oedd y Blaid yn newid gêr. O'r diwedd yr oedd yn ymgodymu â'r problemau gwirion-eddol, o'r diwedd yn ennill aelodau newydd o bob cwr o Gymru. Yr oedd yn dioddef poenau gwayw tyfiant, ac ers y dyddiau cyffrous, heriol a rhwystrus hynny, yr wyf wedi dysgu nabod y gwahaniaeth rhwng problemau llwyddiant a methiant, a diolch byth mai problemau llwyddiant yw'r rhan fwyaf o'r rhai a wynebwn yn awr. Oblegid yn sydyn —a chredaf y gallwn ddyddio'r peth o fewn ychydig fisoedd —daeth pob peth yn iawn.

A dwg hyn fi at y drydedd sialens yr oedd yn rhaid i'r blaid hon ei hwynebu. Yr oedd yn rhaid i hyn ddigwydd ar ryw adeg neu'i gilydd. Byddaf yn aml yn ceisio dyfalu faint o'r aelodau yn y tridegau, a hwythau, mae'n rhaid, yn sylweddoli fod y Blaid yn perthyn bron yn llwyr i'r ardaloedd Cymraeg, a'r mwyafrif llethol o'i haelodau yn siarad yr iaith, faint oedd yn ceisio meddwl pryd yr oedd y Blaid yn mynd i ennill teyrngar-wch helaeth yn yr ardaloedd di-Gymraeg. A dyma'r adeg pan wynebwyd y sialens hon. Problem cadw undod plaid, ac yn fwy byth cadw undod plaid a oedd heb y breintiau a ddaw o feddu grym.

Y mae'n rheol mewn gwleidyddiaeth, bron nad yw'n ddeddf gyffredinol, gredaf i, na all pleidiau gwleidyddol bychain di-allu barhau'n hir iawn, a'u bod yn sicr o ddatgymalu heb y ddis-gyblaeth a ddaw o gyfrifoldeb ac fel y soniais o'r blaen, y breint-iau a ddaw gyda grym. Wrth hynny golygaf y gallu i roi swyddi i bobl i'w cadw'n ddistaw. Gwyddom am bleidiau sy'n cadw i fynd oherwydd hynny. Mae hon yn broblem; yn Lloegr er enghraifft, mae'n broblem i'r chwith eithafol, y dde eithafol, a hefyd —os caf ei alw felly —y canol eithafol, a'r patrwm hwn o chwalu a datgymalu fu tynged llawer iawn o grwpiau bychain Lloegr. Ychydig y mae'n siŵr a fedr wahaniaethu rhwng polisïau'r Sosialwyr Rhyngenedlaethol, y Blaid Gomiwnyddol, Plaid Gomiwnyddol Prydain Fawr, Plaid Gomiwnyddol Prydain Fawr (Marcsaidd-Leninaidd), y Gymdeithas Gwmiwnyddol Brydeinig a Gwyddelig, a'r Cynghrair Llafur Sosialaidd —ac mae'r rhain i gyd mewn bod! Pwy, er enghraifft, a all olrhain o gwbl y berthynas deuluol afiach rhwng Plaid yr Undeb, Cynghrair y Teyrngarwyr Ymerodrol, y Mudiad Cadw Prydain yn Wyn, Clwb Dydd Llun, y Ffrynt Genedlaethol, y Sosialwyr Cenedlaethol? Heb fod ymhell yn ôl, a dod yn nes at ein maes politicaidd ni, yr oedd mudiad cenedlaethol yr Alban wedi ei rannu rhwng o leiaf bump o fudiadau gelyniaethus i'w gilydd, ac yn Llydaw heddiw cawn S.A.V., U.D.B. a P.C.B. Yn wir, yn Llydaw, gallwn feddwl yn aml ac yn sinigaidd, fod yna bob amser dri mudiad cenedlaethol. Wrth eu llythrennau cyntaf yr adnabyddir hwy, a thua thair blynedd yw eu parhad bob un.

Ond yng Nghymru, yng Nghymru o bob man, lle'n sicrheir gan y llyfrau hanes ein bod bob amser yn ildio ar ôl yr ymosodiad cyntaf arnom, a'n bod bob amser, yn ôl y llyfrau hanes eto, yn cweryla ym mysg ein gilydd, ond diolch byth nad ydym yng Nghymru wedi darllen y llyfrau hanes, a'n bod yn eu hanwybyddu'n llwyr! Yr ydym wedi llwyr anwybyddu ein traddodiadau, ac y mae gennym yma fudiad sydd, heb gael ei lygru gan nawdd, wedi osgoi unrhyw hollt difrifol mewn hanner can mlynedd. Eto yr oedd y peryglon yna. Peidied neb â meddwl na fu'n rhaid gweithredu i osgoi hollt. Gallaf gofio cyfarfod arswydus o'r Pwyllgor Gwaith ym mis Ionawr 1965, a Phwyllgor Cydgysylltu'r De-Ddwyrain wedi dod yno mewn ysbryd ymosodol gydag un-cynnig-ar-ddeg ar gyfer creu chwyldro buan neu rywbeth. Gwrthodwyd deg, ac ar bob pleidlaid yr un oedd y rhaniad —rhaniad iaith, rhaniad daearyddol, i raddau rhaniad gwleidyddol. Ond hyd yn oed ar yr awr beryglus honno cafwyd cyffyrddiad digrif. Ar fater ad-drefniant yr oedd y ddadl, a dywedodd un aelod o Geredigion —gŵr o'r enw Morgan, yw gwn i beth ddaeth ohono ers hynny? —meddai, "Mr Llywydd, pan fo fy nghar yn torri i lawr, nid siarad am ad-

Dwy olygfa o Is-etholiad Caerfyrddin, 1974. Uchod: Gwynfor ar Sgwâr Caerfyrddin y bore ar ôl y fuddugoliaeth. Isod: Gwynfor ar orsaf Caerfyrddin ar ei ffordd i'r Senedd.

drefniant a wnaf, ond tynnu fy nghot a gwthio". Fel llucheden daeth ateb gan lais o'r de-ddwyrain, Ray Smith mi gredaf: "Pan fo 'nghar innau'n torri i lawr, Elystan, gweld beth sydd o'i le a wnaf i!"

Ni ddaeth yr hollt, a hwyrach y gallaf ddweud wrthych pam. Bum niwrnod ar ôl y cyfarfod hwnnw cefais lythyr o Langadog —a deëllwch nad oeddwn yn cytuno a'i gynnwys o angenrheidrwydd —ond os yw rhywun yn credu am eiliad i blaid fel Plaid Cymru aros yn unedig o ddamwain, arbraw ddiddorol fyddai ceisio cyfrif pa sawl llythyr fel yna a gyfranodd at gadw'r Blaid yn unol dros y blynyddoedd, a gwaith rhyfeddol Gwynfor wrth greu ysbryd o oddefgarwch ac o bwrpas cyffredin a gadwodd y Blaid gyda'i gilydd. Dyma un peth am Gwynfor —welais i erioed mohono'n colli ei dymer —a chofiwch imi dreio'n galed unwaith neu ddwy!

Ond erbyn 1966 yr oedd yr holl berygl hwn wedi cilio'n sydyn. Dechreuwyd ad-drefnu trwy symleiddio'r Pwyllgor Gwaith, ac yr oedd y Blaid yn gwbl unol i wynebu Etholiad Cyffredinol mis Mawrth. Ac er i'r bleidlais trwy'r wlad ddisgyn eto, yr oedd yn amlwg fod ein hyder yn uwch nag erioed —yn ddigon uchel i droi is-etholiad Caerfyrddin yn groesgad. Af i ddim yn awr i ddechrau disgrifio'r is-etholiad, neu yma fyddwn ni tan amser agor bore 'fory. Yr oedd yn un o'r pythefnosau a fwynheais fwyaf erioed, ac yr oedd oglau ennill yn yr awyr haf-aidd. Ac fel Marcsydd neu Galfin da —a dylai hynny gyfrif am ddwy ran o dair o'r Blaid —credwn ddigon mewn determinist-iaeth i wybod fod y torri trwodd yn bownd o ddigwydd ryw-bryd rywfodd. Yr oedd Bridgetown a West Lothian yn yr Alban yn darogan yn dda, a chofiaf Chris Rees yn dwyn adroddiadau brwdfrydig o'r Alban fel yr oedd y llanw'n troi yno. Ond mor briodol ydoedd mai Gwynfor a gafodd y fraint gyntaf. Cenedl theatraidd ydym, ac yr oedd ein synnwyr amseriad yn berffaith!

Yr oedd y ddwy flynedd wedi Caerfyrddin yn fendigedig. Y cyffro a'r sialens gymaint ag erioed, ond y rhwystredigaeth a'r tyndra wedi mynd. Y mae yna duedd yn awr i gredu i'r pethau da i gyd gychwyn wedi Gorffennaf 1966, ond fel y ceisiais ddangos yr oedd amryw o'r cyfnewidiadau ar waith eisoes. Yr oedd Elwyn Roberts eisoes yn Ysgrifennydd Cyffredinol a

Chyfarwyddwr Cyllid; pan ysgrifennir hanes y Blaid yn llawn, ychydig iawn ohonom a fydd yn ymddangos yn anhepgor ond Elwyn Roberts fydd un o'r rhai mwyaf anhepgor o bawb, ar gyfrif y gwaith enfawr a wnaeth. Soniais yn bennaf am dyndrâu gwleidyddol ein tyfiant, ond yr oedd sialensau tyfiant ariannol a threfniadol yn llawn cymaint, ac wynebodd Elwyn Roberts lawer iawn o'r rhain gyda chryfder aruthrol, a hyder anorchfygol yn y dyfodol.

Dechreuasai ad-drefniant y Blaid yn Ionawr 1966, ac yn wir erbyn 1970 yr oedd y cwbl o brif amcanion y *New Nation* wedi eu sicrhau heb anesmwytho dim ar y dŵr. Yr oedd hyd yn oed y grŵp ymchwil wedi cychwyn gan bwyll bach ym 1965 ar y dasg gyntaf o chwynnu gosodiadau di-sail allan o bropaganda'r Blaid, ac yn fuan fe ddarganfuwyd fod holl haeriadau'r Blaid ar ddŵr o bob peth wedi bod yn anghywir ers rhai blynyddoedd, a neb erioed wedi sylwi. Methasom yn llwyr â chael hyd i'r economegwyr Ffrengig a oedd wedi disgrifio adnoddau mwyn Cymru mewn termau mor ddisglair. Bu sôn hefyd am gynllun economaidd y dechreuwyd ei lunio ym 1965, ond yr hyn a symbylodd y rhan bwysicaf o'r gwaith oedd cyhoeddi *Structure of the Welsh Economy* gan Nevin, a'r araith gan yr Athro Nevin ei hun yn Ysgol Haf Dolgellau. Yr oedd y pethau hyn i gyd wedi cychwyn, ond Caerfyrddin a greodd yr ymdeimlad o frys ac a roes inni hefyd y teimlad anghynefin iawn o bwysigrwydd. Ein cael ein hunain yn sydyn yn y gynghrair gyntaf, ac heb fod eto'n sicr a allem roi tîm cyflawn ar y maes. Mi gofiaf imi deimlo felly yn Ysgol Haf Maesteg. Buasai'n flwyddyn drom iawn gydag Etholiad Cyffredinol ac is-etholiad, ac nid oedd y cynigion i'r Gynhadledd gystal o gwbl â rhai Ysgol Haf Machynlleth. Oni bai am yr holl gymeradwyo-ar-ein-traed, efallai na fuasem wedi gallu llenwi'r amser! Ond yr oedd y grym symudol ar gynnydd, ac a minnau'n dal i fyw yng Nghaergrawnt ar fy mlwyddyn olaf, yr oeddwn wedi fy nhynnu i fewn i ffurfio'r Grŵp Ymchwil o ddifrif, gyda Dafydd Wigley a Gareth Morgan Jones yn Llundain.

Fe ddaeth hwn yn union mewn pryd ar gyfer etholiad y Rhondda ym 1967. Mae yna bobl, rhagfarnllyd yn ddiamau, yn dweud nad yw gwedd y wlad yn y Rhondda yn Chwefror lawn cyn hardded â Dyffryn Tywi ym Mehefin a Gorffennaf! Mater o farn, ond mae f'atgofion o'r ddau is-etholiad yr un mor gyffrous. Mi gofiaf bump ohonom yn gyrru mewn car bach iawn dros y Rhigos un noson dan ganu ar dop ein lleisiau, *A Nation Once Again*, a'r dyddiau hynny byddai Gwynfor yn arfer dyfynnu geiriau Wordsworth; *"Bliss was it in that dawn to be alive, but to be young was very heaven"*, a dyna fel y teimlai llawer ohonom. Ar ddiwedd araith gennyf yn Nhonypandy, a minnau wedi bod yn sôn am gyfres helaeth o bethau digalon — lleihad y diwydiant glo, diweithdra, ymfudo —fe'm trawyd yn sydyn, er gwaethaf yr holl anawsterau o'n blaen fel cenedl, na fu erioed well amser i fod yn Gymro. Ac ystyried yr holl amser- oedd pan y gallasem fod yn fyw, gallem bawb fod yn ddiolchgar am gael ein geni ar yr adeg iawn i dyfu a chymryd rhan weithgar yn ailenedigaeth cenedl.

Yn ei ffordd ei hun yr oedd canlyniad etholiad y Rhondda yn fwy o syndod na Chaerfyrddin. Roedd y gwybodusion —y bobl ddisglair sy'n gallu esbonio popeth —eisoes wedi esbonio is- etholiad Caerfyrddin ymaith —wel, yr oedd yn ardal Gymraeg ei hiaith, yn wledig, ac yr oedd Gwynfor yn ymgeisydd eithriadol. Yr oedd Emrys Jones, ysgrifennydd y Blaid Lafur yng Nghymru wedi mynnu mai Caerfyrddin oedd dechrau diwedd cenedlaeth- oldeb Cymreig. Ond yr oedd y Rhondda yn Saesneg ei hiaith, yn ddiwydiannol; yr oeddem wedi rhoi ergyd i wir ganolfan grym Llafur, a'r eglurhad y tro hwn oedd nad oedd hi ond pleid- lais brotest yn erbyn diweithdra o 7%. A bod yn deg yr oeddem wedi ymladd ymgyrch brotest gref —a'r nefoedd a ŵyr sut y gellid ymladd yn wleidyddol yn y Rhondda ym 1967 heb ymladd ymgyrch brotest. Ond sylweddolwyd gennym fod o hyd un gwendid yn arfogaeth Plaid Cymru —a ninnau bellach yn rym gwleïdyddol effeithiol yng Nghymru wledig a diwydiannol, Cymraeg a Saesneg: rhaid oedd inni fod yn barod i gynnig polïsïau nid yn unig a ysbrydolai Gymru, ond y gallai llywodraeth Gymreig eu gweithredu.

Credaf y gŵyr y rhan fwyaf ohonoch beth sydd wedi digwydd er 1967. Fy nymuniad i oedd siarad am y cyfnod cyn hynny: mae'n gyfnod y gall hanesydd yn hawdd iawn fynd ar gyfeiliorn yn ei gylch. Gall y rhai sy'n darllen llyfrau fel yr un gan Butt

Philip yn hawdd lunio'r muthau anghywir. Mewn ffordd yr oedd yn gyfnod pwysig iawn, a hwyrach na chaf fyth y cyfle i draethu eto fel yr ymddangosai pethau i mi fel aelod ifanc yn ymuno â phlaid a oedd yn llawn o'r holl syniadau priodol. Yn wir yr hyn a deimlais wrth ymuno â Phlaid Cymru ym 1961 oedd mai dyna'r unig blaid y bûm ynglŷn â hi a oedd fel petai hi'n trafod problemau'r saithdegau a'r wythdegau, yn hytrach na rhai'r tridegau a'r dauddegau.

Mi garwn derfynu trwy sôn am yr hyn a ymddangosai i ni, adeg etholiad y Rhondda fel yr unig fwlch, sef na chawsom y polisïau efallai a fyddai'n argyhoeddi pobl o'n cymhwyster i ffurfio llywodraeth yng Nghymru. Rhaid inni fod yn wyliadwrus o'r pwnc hwn o bolisi. Mae 'na berygl mawr iawn pan ddaw pob atom a gofyn "A ydych yn wirioneddol yn Llafur neu Geidwadol?" A rhaid inni fod yn siŵr ein bod yn ateb gydag argyhoeddiad nad ydym y naill na'r llall; mai Plaid Cymru ydym gyda'n hateb ein hunain i broblemau Cymru, ac ateb yn wir y gellid ei arfer y tu allan i Gymru. Un peth, mi gredaf, a wna ddirmyg o'r cwestiwn yna —ai tros Lafur yr ydym —neu tros Dorïaeth yr ydym, yw ei bod yn amlwg unwaith eto nad oes wahaniaeth o gwbl pa un ai Llafur neu Dori sy'n rheoli o Lundain. Y mae'r ddwy blaid fel ei gilydd wedi dwyn i fewn bolisïau incwm stadudol pan oeddynt mewn grym, a'r ddwy wedi eu gwadu pan nad oeddynt. Fel y dywedodd Pipe lawer o flynyddoedd yn ôl, "Wrth gwrs ni ddylid dweud nad oes wahaniaeth rhwng y pleidiau. Y mae'r naill i fewn a'r llall allan". Y mae'r ddwy blaid wedi defnyddio ac yn defnyddio diweithdra fel eu hunig ateb i chwyddiant. Y mae'r ddwy blaid wedi gwladoli diwydiannau sy'n gwynebu methdaliad. Y mae'r ddwy ynghlwm yn hollol wrth arfau niwclear ac yn gwario symiau uchel ar amddiffyn. Gweithiodd arweinwyr y ddwy blaid dros aelodaeth o'r Gymuned Ewropeaidd a gallwn fynd ymlaen fel hyn, a chwithau'r un modd, trwy'r dydd. A oes yna wir wahaniaeth rhwng y Torïaid pinc a'r Torïaid glas yn Llundain? Yn y senedd heddiw Plaid Cymru a'r S.N.P. yw'r wir wrthblaid. Ni'n unig sy'n cynnig polisïau sy'n hanfodol wahanol i'r polisïau clymblaid sydd wedi methu mor affwysol yn Llundain er 1951.

Felly beth yw polisïau Plaid Cymru? Wel, yr ydym i gyd yn

eitha cyfarwydd â'r tri nod sylfaenol sy'n ein huno —ymroddiad llwyr i sicrhau ymreolaeth, i ddiogelu bywyd economaidd, cymdeithasol a diwylliannol Cymru ac edfryd yr iaith, a sicrhau i Gymru le teilwng ohoni yn y byd. Yn y chwedegau yr oedd yna rai a dybiai fod y rhain yn ddigon. Dadleuid yn daer gan rai y pryd hynny na ddylai'r Blaid gael unrhyw bolisïau, y dylai pobl Cymru benderfynu ar ôl inni gael ymreolaeth, ac wrth gwrs y mae hynny'n wir mewn ystyr sylfaenol, athronyddol. Yn y pen draw ymladd yr ydym dros hawl pobl Cymru i benderfynu. Ond nid dyna'r llwybr i blaid wleidyddol ar hyn o bryd os yw am roi arweiniad.

Mi gofiaf un a fu wrthi'n hir a dygn, hen ŵr annwyl iawn, a ymladdai etholiadau lleol yn ne-orllewin Cymru ar yr egwyddor hon, ac a gariai ei holl anerchiadau etholiad yn ei boced bob amser; yr oeddynt i gyd yn union yr un fath ond am ddyddiad y pleidleisio. Credai y byddai polisi ar fater tai neu addysg yn peri iddo gyfaddawdu; ymladdai bob amser ar yr amcanion syflaenol a cholli bob tro, ac am amrywiol resymau fe ymadawodd â Phlaid Cymru. Oblegid ym Mhlaid Cymru yr ydym erbyn hyn wedi croesi'n bendant y ffin rhwng grŵp ymwthiol a phlaid wleidyddol, a rhaid bellach inni fod ar dir i gynnig y sbectrwm llawn o bolisïau. Nid mater o ennill seddau ydyw yn unig, ond yn awr y mae'n fater o ennill grym, ac y mae yna nifer cynyddol o awdurdodau lleol lle'r ydym ar fin meddu grym gwirioneddol.

Rydym wedi llunio polisi fesul dau gam. 'Rwyf eisoes wedi cyfeirio at ein polisi llywodraeth leol. Yn fuan iawn fe welwn unfrydedd llwyr —o fewn i T.U.C. Cymru ac ymhlith elfennau niferus o fewn i lywodraeth leol; gwn am feysydd eang lle y bydd cyn bo hir rywbeth tebyg iawn i'n polisi llywodraeth leol ni ddeng mlynedd yn ôl yn ymddangos fel yr unig bolisi call i Gymru. Ac mewn amryw feysydd eraill bu'n polisïau ni'n symbyliad tebyg. Yr un patrwm oedd gennym wrth gynnig Bwrdd Dŵr i Gymru, gyda hawl i godi tâl ychwanegol am ddŵr a allforir o Gymru. Gwrthwynebwyd y syniad yn ffyrnig. Mi gofiaf y Blaid Lafur yn dadlau mai amhosibilrwydd technegol ydoedd. Mi geisiodd George Thomas ei egluro i mi —rhywbeth ynghylch pe baem yn sefydlu Bwrdd Dŵr na fyddai'r dŵr ddim yn llifo dros y ffin! Mynnai'r Torïaid a'r Rhyddfrydwyr mai anghyfreithlon os nad anfoesol ydoedd. Ond erbyn heddiw y mae Bwrdd Dŵr Cymru'n bod ac yn fuan fe ddechreuir gweith-redu, er yn anfodlon, ei hawl gyfreithiol i drethu dŵr a allforir, a thrwy hynny ostwng y trethi dŵr ledled Cymru. Hwyrach na ŵyr llawer ohonoch i gynigion y Blaid ynglŷn â gweinyddu'r gyfraith yng Nghymru gael eu derbyn bron yn eu holl fanylion yn hytrach na chynigion tra gwahanol Cyngor y Bar. Cefnogir bellach bron ar bob tu bolisi'r Blaid ar ddarlledu ac ar y bedwar-edd sianel, a'r llywodraeth wedi ei dderbyn mewn egwyddor. Ond yn y Cynllun Economaidd y cynhwysir y gyfres fwyaf uchelgeisiol o bolisïau o'r math hwn. Dyma'r unig gynllun cynhwysfawr ar gyfer datblygiad economaidd yng Nghymru, ac y mae bwnglera dall y Swyddfa Gymreig am ddeng mlynedd, heb unrhyw gynllun hollgynhwysol, wedi bod yn drychineb. Ond y mae arwyddion fod ein polisïau yn dechrau treiddio hyd yn oed yno. Y mae'r Llywodraeth yn llunio Asiantiaeth Ddatblygu Cymru, debyg i'r W.D.A. a gynigwyd gan Blaid Cymru ym 1969, ac yn wir gyda nifer o'i galluoedd yn union fel yr awgrymasom.

Ond fe welwch fod yna un peth —gyda llywodraeth leol, dŵr, gweinyddu'r gyfraith, darlledu, cynllunio economaidd ac amryw beth arall —sy'n gyffredin: y gwir angen, yr angen sylfaenol, oedd cael tîm ymchwil-a-pholisi talentog i sicrhau'r cynlluniau gorau i Gymru. Yr oeddynt yn syml. Pe bai unrhyw dîm o bobl deallus wedi eistedd i lawr a gofyn "p'un yw'r ffordd orau i wneud hyn tros Gymru", fe drawent ar ateb gwahanol i ateb Llundain. Allasem ni ddim methu ar y rhain, ac unwaith y byddem wedi sefydlu a chyhoeddi beth yn ôl synnwyr cyffredin fyddai'r polisi amlwg i Gymru, ni byddai'n anodd iawn i'w gael yn dderbyniol gan bawb bron yng Nghymru, ac ennill parch i Blaid Cymru. Ond rywle neu'i gilydd byddai'n rhaid inni ym-godymu â'r problemau hynny lle nad oedd yr ateb yr un mor glir a derbyniol i bawb. Gyda rhai problemau, problemau cyffredin-ol iawn, ni allai unrhyw ateb fod yn dderbyniol i bawb —pethau fel tlodi, yr argyfwng tai, rheolaeth ar ddiwydiant, dyfodol yr iaith Gymraeg. Pethau dadleuol yw'r rhain sy'n galw am atebion pendant ddadleuol, ac yma ac yn awr y mae'n rhaid inni benderfynu ble y safwn.

A dyma, mi gredaf, yw lle'r ydym yn etifeddu'r traddodiad radicalaidd Cymreig. Gwelaf fod dwy agwedd bwysig ar hyn. Y mae cyfiawnder cymdeithasol yn thema cyson yn hanes Cymru. Lloyd George a gychwynnodd bensiwn yr henoed, Nye Bevan a greodd y Gwasanaeth Iechyd Cenedlaethol, arloesodd Sir Fôn addysg gyfun. Dyma linellau ein traddodiad gwleidyddol fel cenedl, ac mi gredaf fod polisi Plaid Cymru ar gynnal incwm, ac ar dai, sy'n diffinio mater tai fel gwasanaeth cymdeithasol, yn cario'r un traddodiad radicalaidd Cymreig i fyd problemau'r saith a'r wythdegau. Nid oes gennym ddim i'w gynnig i'r cyfoethog, a'r siawnsfentwyr, ond ategu a wnawn y traddodiad Cymreig a â'n ddwfn i'n hanes, sef y dylai'r cryf gynnal y gwan.

Y mae yna un maes arall, elfen arall yr ydym wedi ei dwyn yn bendant i'r traddodiad radicalaidd Cymreig —pwysigrwydd y gymuned neu'r gymdeithas. Yn ein cyhoeddiad cyntaf un, sonir am gymdeithas o gymdeithasau, a chredaf mai dyma'r un elfen radicalaidd allweddol sydd gennym i'w chynnig nid yn unig i bobl Cymru ond i'r byd. Pwysigrwydd cymdeithas —yr ydym yn ymladd i amddiffyn cymdeithas —a gall honno fod yn gymdeithas o amaethwyr a fygythir gan gronfa ddŵr, neu dre lofaol a fygythir gan gau pwll, neu Glyn Ebwy a Shotton a fygythir gan gau gwaith dur. Amddiffyn y cymunedau a fygythir a wnawn, ond ar yr un pryd mynnwn hawl pob cymuned i ddewis ei dyfodol ei hun. Lle bynnag y gellir penderfynu mater yn lleol neu'n ganolog, ein barn yw y dylid gwneud hynny yn lleol gan y bobl yr effeithir ganddo fwyaf, ac yr ydym yr un mor wrthwynebus i'r gorfforaeth ganolog wladwriaethol ei rheolaeth ag yr ydym i'r gorfforaeth breifat drawsgenedlaethol ddideimlad.

Beth ydym felly? Rhaid camu'n ofalus yma. A ydyw'r polisïau hyn yn ein gwneud yn sosialaidd? Wel, ydynt yn ôl fel y diffiniais sosialaeth yn y pamffled a sgrifennais bymtheg mlynedd yn ôl, sef *Socialism for Tomorrow*. Ond mater o labeli yw'r cyfan, ac y mae angen gofal. Os mai ystyr sosialaeth yw'r Blaid Lafur, yr N.C.B., Syr Monty Finniston a biwrocratiaeth rymus —os dyna beth yw sosialaeth —yr ateb yw Na. Ond os golyga, ein bod ar yr adeg hon mewn hanes yn paratoi am y dydd y bydd Cymru'n labordy tros gyfiawnder cymdeithasol, yr ydym yn lledu pwysigrwydd cymuned i bobl yn y gymdeithas fas a grëir gan dechnoleg fodern. Os gallwn wneud Cymru'n ysbrydoliaeth i'r byd fel y mae gwledydd fel Norwy yn ein hysbrydoli ni heddiw, yna dyna'r ffordd y bydd Plaid Cymru yn ei dilyn. Ar ôl yr hanner can mlynedd cyntaf, a'r seiliau wedi eu gosod yn dra diogel, fe ddilynwn y ffordd hon drwy gyfrwng mudiad sy'n hollol unol drwy Gymru a thrwy weledigaeth a'n sicrha uwchlaw pob amheuaeth mai llwyddo a wnawn.

Gwynfor Evans

POLISI CYFANSODDIADOL PLAID CYMRU

Corfforwyd Cymru yn llwyr yn y wladwriaeth Seisnig gan Ddeddf 1536. O ran cenedligrwydd cyfreithiol, Saeson oedd y Cymry yn awr, er i'r cof am wlad a chenedl ar wahân gael ei gadw'n fyw gan yr ymadrodd "Lloegr a Chymru". Ar ôl yr undeb rhwng Lloegr a'r Alban y datblygodd y syniad Prydeinig y rhoddodd yr Ymerodraeth fri mawr arno. Prydeinig bellach oedd cenedligrwydd cyfreithiol y Cymry. Gydag amser daeth gwleidyddion a haneswyr i'r arfer o alw Prydain yn genedl er na bu erioed yn gymundod cenedlaethol. Y mae Lloegr, Yr Alban a Chymru yn genhedloedd; gwladwriaeth yw Prydain. Pan gaiff Cymru a'r Alban safle cenedlaethol cyflawn bydd y wladwriaeth Brydeinig yn darfod amdani. Ble fydd y "genedl Brydeinig" wedyn? Pe byddai'n genedl byddai'n parhau wedi'r dileu'r wladwriaeth fel y parhaodd Cymru a'r Alban yn genhedloedd heb wladwriaeth. Ni ddiflanna cymuned genedlaethol dros nos.

Wedi ei chorffori yn Lloegr llywodraethwyd Cymru gan y Llywodraeth Seisnig fel trefedigaeth fewnol. Daeth effeithiau'r safle hwn yn amlwg ar ôl y chwyldro diwydiannol gyda thwf enfawr y wladwriaeth. Yn ail hanner y ganrif ddiwethaf meddai ar ddigon o allu i osod cyfundref addysg orfodol gwbl Saesneg ar y wlad; a phan ecsploetiwyd adnoddau naturiol a dynol Cymru yn ddidostur gofalai mai Llundain a Lloegr a gâi'r budd. Er enghraifft, cloddiwyd trigain miliwn tunnell o lo o'i daear yn y flwyddyn cyn dechrau'r rhyfel byd cyntaf heb fod gan Gymru odid ddim i'w ddangos mewn canlyniad. Llifodd ei chyfoeth i gynnal Llundain a'r Ymerodraeth. Parhaodd hyn trwy gydol y rhyfel, ond gyda hyn o ddirywiad yn y sefyllfa: perswadiwyd glowyr Cymru i fynd i'r lluoedd arfog wrth yr ugeiniau o filoedd a chymerwyd eu lle gan Saeson a mewnfudwyr eraill.

Rhoes y mewnlifiad trwm cyn ac yn fwy byth yn ystod y rhyfel bwysau llethol wrth gefn y broses Seisnigo yn yr ardaloedd diwydiannol, tra oedd y rhyfel ei hun yn dyfnhau Prydeindod y Cymry. Yn hytrach na gwrthsefyll y broses cydweithiai'r Cymry ag ef yn llawen. Ers ugeiniau o flynyddoedd ni roes y drefn dreisgar fawr o gyfle iddynt ddatblygu dinasyddiaeth Gymreig; a thrwy eu blynyddoedd yn yr ysgol, ac wedyn yn y byd y tu allan fe'u gorfodwyd gan drais seicolegol gorthrymus i gredu mai Prydeinwyr oeddent yn gyntaf a Chymry yn ail sâl. Eu braint a'u dyletswydd gyntaf oedd gwasanaethu ac amddiffyn y wladwriaeth a'r Ymerodraeth Brydeinig. Ambell ddyn od fel Emrys ap Iwan a Michael D.Jones a'u dysgodd mai amddiffyn eu cenedl oedd eu dyletswydd gyntaf. Ymunai pob sefydliad Seisnig a Saesneg â'r Llywodraeth i'w trwytho â'r gred mai er mwyn Prydain Fawr a thrwy'r iaith Saesneg y dylent fyw. Nid oedd na phwrpas na dyfodol i'r genedl Gymreig.

Aeth y neges adref. Dyfynna Tedi Millward ysgrif Saesneg gan Eben Fardd a ddwedodd:

> By a seeming immutable destiny, the sceptre has departed from out of Wales. The power and the dominion have passed to other peoples whose political and lingual empire seems to assume a paramount infuence over all the ancient dynasties, peoples and tongues of by-gone ages. So that we cannot do better at the present time than to mark well the significant beck of all wise Providence, and fall in with the mighty tide of national mutations, which no human policy can avert, or human power withstand.

Hynny yw, yr oedd dileu Cymru fach gan Brydain Fawr yn rhan o'r cynllun Rhagluniaethol. Tua'r un adeg taranodd *The Times* wrth gyfeirio at arddangosfa o gynhyrchion Cymreig:

> Gwlad fach yw Cymru mewn safle anffafriol i amcanion masnachol, gyda daear symol iawn a phobl ddifenter. Gwir fod ganddi fwynau gwerthfawr, ond datblygwyd y rhain yn bennaf gan egni Seisnig er mwyn cyflenwi anghenion Seisnig . . . O Loegr y daeth cynnydd a gwareiddiad Cymru, a byddai Cymro call yn ymroddi i gael ei gydwladwyr i werthfawrogi eu cymdogion yn lle hwy eu hunain.

Ofnai rhai Cymry y gallai bodolaeth yr iaith Gymraeg greu'r argraff nad oeddent yn gwbl deyrngar i Brydain ac i'r Llywodraeth Seisnig. Rhag ofn bod rhyw amheuaeth ddwl fel yna yn aros ym mron rhai o'r Saeson —"Some lurking disaffection to Saxon rule," dywedodd Henry Richard mewn un o gyfres o lythyrau i'r *Morning Star*:

> I venture to assert that there is not in the whole extent of the British dominions, from the Hebrides to the Punjab, a community more loyal

Os oedd Cymru yn amddifad o deyrngarwch balch i'r genedl yr oedd ganddi adnoddau naturiol anarferol o gyfoethog, a gweithiai rhan fawr iawn o'i phobl yn y diwydiannau trwm: 250,000 yn y pyllau glo ddechrau'r ganrif hon. Ni·châi diwydiannau ysgafn a glanach ddatblygu yma rhag ofn y denent ei gweithwyr oddi wrth y diwydiannau glo, dur, haearn, alcam ac ati. Felly pan ddaeth y dirwasgiad enbyd ar ôl y rhyfel byd, Cymru a ddioddefodd gyntaf a Chymru a ddioddefodd waethaf. Fel yr aeth yr ugeiniau yn eu blaen taflwyd cannoedd o filoedd ar y dôl. Yr unig feddyginiaeth a gynigiai Llywodraethau'r cyfnod oedd yr hyn a alwent yn "drosglwyddiad llafur", sef symud y rhai ifancaf a'r mwyaf egnïol i Loegr lle yr oedd angen gweithwyr yn y canolbarth a'r ardaloedd o gwmpas Llundain. Dadwreiddiwyd 500,000 o'r Cymry yn y ffordd hon.

Er cynddrwg y gwaedlif hwn, erbyn dechrau'r tridegau cyrhaeddodd canran y di-waith yng Nghymru 33%. Yng Ngheredigion a Môn cododd i 50%. Yr oedd golwg lewyrchus ar Lundain a'r canolbarth a siroedd de-ddwyrain Lloegr tra oedd y drefedigaeth Gymreig yn llusgo byw dan amrywiaeth o enwau a'i galwai yn bopeth ond yn famwlad cenedl —yn *Distressed Area, Special Area, Under-developed Region, Development Area.* Bu'n rhaid aros am ryfel byd arall i gael gwaith yng Nghymru i'r Cymry na chonsgriptiwyd mohonynt i'r lluoedd arfog.

Echrydus oedd effaith y blynyddoedd hyn a'r rhyfel a'u dilynodd ar ysbryd, diwylliant a sefydliadau'r Cymry, yn arbennig ar y capeli. Ymroddai mintai fach y Blaid Genedlaethol i amddiffyn cymdeithas a thraddodiadau Cymru, a goleuwyd y ffurfafen dros dro gan wroldeb y Tân yn Llŷn. Cynigiwyd polisïau economaidd i wella'r sefyllfa. Eithr lladdwyd yn gïaidd ar y cenedlaetholwyr fel ffasgwyr neu ramantrwyr penchwiban.

Os symudwn ymlaen ddeng mlynedd i ail hanner y pumdegau gwelwn, er nifer o welliannau bach ond nid dibwys, mai'r un oedd y safle cyfansoddiadol. Ni chawsai'r un gallu gweithredol ei gyflwyno i ddwylo'r Cymry. Trefedigaeth fewnol oedd hi o hyd, fel y dangosodd achos Tryweryn mor glir.

Perthynai Cwm Tryweryn a Chapel Celyn i Benllyn, lle y mae'r iaith Gymraeg a'r diwylliant Cymreig yn dal yn loyw

iawn. Darllen amdano yn y wasg oedd yr wybodaeth gyntaf a
gafodd teuluoedd y Cwm am benderfyniad Dinas Lerpwl i foddi
eu cartrefi a'u capel er mwyn creu cronfa enfawr o ddŵr i ddi-
wallu galw diwydiant Lerpwl, glannau Merswy a rhannau o Gaer
am fwy o ddŵr. Ni bu neb o Lerpwl nac o unman arall yn
trafod y bwriad â nhw. Ar unwaith creodd y Blaid Bwyllgor
Amddiffyn yn Y Bala gyda Mrs Morovietz, a aned yng Nghapel
Celyn yn ferch i Watcyn o Feirion, yn ysgrifennydd hynod o
effeithiol a gweithgar, a Dafydd Roberts o Gaefadog yn Nghwm
Tryweryn yn gadeirydd. Fel darpar ymgeisydd y Blaid ym
Meirion byddwn i yn mynychu'r Pwyllgor pan allwn. O
Swyddfa'r Blaid yng Nghaerdydd gwnaeth J.E.Jones waith en-
fawr dros yr amddiffyniad gyda'i drylwyredd arferol. Dechreu-
odd yr ymgyrch gyhoeddus gyda rali fawr a drefnodd ar lannau
Tryweryn, lle y rhoddais rybudd mai unig obaith llwyddiant
oedd ymgyrch nerthol iawn cyn i'r mater gyrraedd y Senedd.

Deffrodd yr ymgyrch deimladau dwfn trwy Gymru oll, lawn
cymaint yn yr ardaloedd diwydiannol ag yn y Gymru wledig.
Fe'i cefnogwyd gan gannoedd o gynghorau lleol a chan lu mawr
o fudiadau, cyrff cr.   ' 'ol, undebau llafur a chymdeithasau o
bob math. Ni welw.   fath undod cenedlaethol yn ein hamser
ni.

Chwaraewyd rhan bwysig gan bobl Cwm Tryweryn eu hunain
a ddaeth i Lerpwl, pob enaid byw ond un baban bach, i orym-
deithio mewn gwrthdystiad trwy ganol y ddinas. Dro arall aeth-
ant i Fanceinion i fynegi eu gwrthdystiad ar deledu Granada.

Ymwelodd Dr Tudur Jones, Dafydd Jones Caefadog a minnau
ddwywaith â Chyngor Lerpwl i geisio'i annerch. Y tro cyntaf
cawsom gopi o agenda'r cwrdd gan gyfaill Gwyddelig o gynghor-
wr a chael gwybod trwy hynny pa bryd y codai cwestiwn
Tryweryn, er mwyn inni gael codi yr un pryd. Cyn gynted ag y
dechreuais siarad llanwyd neuadd y Cyngor â storom o stŵr o
dan arweiniad ffyrnig yr enwog Mrs Bessie Braddock, A.S. a
ddigwyddai eistedd yn union o'm blaen. Yn ogystal â defnydd-
io ei llais mawr defnyddiodd holl nerth ei chorff mawr wrth
€wrw top ei desg yn erbyn y ffrâm. Dilynodd llawer ei hesiampl.
Parhaodd y terfysg am funudau nes cael yr heddlu i'n hebrwng
ni allan. Ar yr ail ymweliad cefais annerch y Cyngor ar ei

wahoddiad.

Cafwyd dau gyfarfod cyhoeddus nodedig yn Lerpwl, un hononynt wedi ei drefnu gan Mrs Morovietz ar ran y Pwyllgor Amddiffyn; ond Cyngor Lerpwl a drefnodd y llall. Cyn y gellid dwyn mesur ar ei ran gerbron y Senedd i roi hawl iddo greu'r gronfa ddŵr yr oedd yn rhaid cael mwyafrif o'i blaid mewn cwrdd agored. Pan ddaeth amser cychwyn sylweddolodd arwen-wyr a swyddogion y Cyngor nad oedd ganddynt fwyafrif. Llwyddodd yr amddiffyniad i grynhoi ynghyd gorff niferus o Gymry parchus Lerpwl ac o fyfyrwyr Cymreig. Bu'n rhaid aros tri-chwarter awr tra bo'r swyddogion yn galw am gymorth o blith aelodau staffiau'r swyddfeydd. Ymhen amser dechreuodd y rhain ddod i mewn, rhai yn lifrai'r Pwyllgor Dŵr, nes bod y swyddogion yn sicr o'u mwyafrif.

Y cam nesaf oedd cael mesur Lerpwl trwy'r Senedd. Erbyn hyn yr oedd hyd yn oed yr A.S.au Cymreig yn gwrthwynebu bwriad Lerpwl, a dadleusant yn gryf yn ei erbyn ar yr ail ddarlleniad. Eithr yn y bleidlais ni chawsant y nesaf peth i ddim cefnogaeth gan Saeson. Er mai un Aelod Cymreig yn unig a bleidleisiodd dros y mesur fe'i cariwyd gyda mwyafrif mawr.

Yn fuan wedyn gwahoddwyd T.W.Jones, A.S. Meirion, a Goronwy Roberts A.S. i annerch cwrdd a drefnwyd gan y Pwyllgor Amddiffyn yng Nghapel Celyn. Yno dywedodd T.W. Jones y byddai ef a'r A.S.au Cymreig yn parhau i ymladd yn llew "hyd at y Ffos olaf", sef trydydd darlleniad y mesur. Pan ddaeth y trydydd darlleniad, fodd bynnag, cafwyd bod yr A.S.au Cymreig wedi cytuno â Mrs Bessie Braddock ac A.S.au Lerpwl nad oedd angen dadl. Gan hynny aeth y mesur trwodd wedi i'r clerc ddarllen ei deitl.

Erys dau ddigwyddiad gwerth eu nodi cyn gorffen y braslun hwn o hanes y gweithredu gwleidyddol. Un oedd y cyfarfod cenedlaethol a alwyd gan Arglwydd Faer Caerdydd ar ein cym-helliad. Pan aeth H.T.Edwards i'r gadair yr oedd Neuadd y Ddinas yn orlawn. Amcan y cwrdd oedd ystyried cynllun arall a alluogai Lerpwl i gael y dŵr heb foddi cartrefi. Danfonwyd dirprwyaeth genedlaethol i bwyso'r cynllun ar y Cyngor, ond ni syflai hwnnw ddim. Onid oedd Senedd Westminster yn gadarn wrth ei gefn?

*Tri Aelod Seneddol
Plaid Cymru, 1974.*

Y digwyddiad arall oedd agoriad ffurfiol Llyn Celyn pan
ddaeth mawrion Lerpwl ynghyd i gynnal y seremoni mewn
pafiliwn lliwgar, agored, wrth odre'r argae. Uwchben yr oedd
cannoedd o genedlaetholwyr a geisiodd rwystro gorymdaith ceir
Lerpwl rhag cyrraedd y ffordd a redai dros ben yr argae. Prof-
odd byddin yr heddlu yn rhy gryf iddynt, ond pan oedd y
seremoni yn dechrau ni allai neb na dim atal eu rhuthr i lawr y
llethrau i dynnu'r pafiliwn i lawr a dinistrio'r seremoni.

Byddai hanes cyflawn yn gorfod rhoi lle i'r gweithredu union-
gyrchol, wedi i'r mesur fynd trwy'r Senedd, gan ychydig o
genedlaetholwyr glew a garcharwyd mewn canlyniad, ond nid y
Blaid a drefnodd hyn er inni drefnu'r amddiffyniad.

Tanlinellodd boddi Tryweryn y gwir am safle cyfansoddiadol
presennol Cymru, sef mai rhanbarth yn Lloegr yw hi sy'n dref-
edigaeth fewnol. Caiff ddanfon tri dwsin o A.S.au i Westminster
at y chwe chant namyn un a ddaw o weddill Prydain Fawr; ond
hyd yn oed pan ymuna'r rhain â'i gilydd dros achos o bwys
mawr i Gymru, gyda chenedl unol wrth eu cefn, cânt eu gwthio
o'r neilltu yn ddirmygus gan y mwyafrif Seisnig llethol os oes
buddiannau Seisnig yn y fantol. Ni all y Cymry wneud unrhyw
benderfyniad ynghylch bywyd Cymru. Whitehall a Westminster
sydd yn y cyfrwy a cheisiant farchogaeth y genedl fach hon i
farwolaeth.

Ceir y datganiad pwysicaf am bolisi cyfansoddiadol yn narlith
fawr Saunders Lewis ar Egwyddorion Cenedlaetholdeb a rodd-
wyd yn Ysgol Haf gyntaf y Blaid ym 1926:

> Yn gyntaf oll, peidiwn â gofyn am annibyniaeth i Gymru. Nid am
> nad yw'n ymarferol, ond oblegid nad yw'n werth ei chael . . . Mynnwn,
> nid annibyniaeth, eithr rhyddid. Ac ystyr rhyddid yn y mater hwn yw
> cyfrifoldeb. Yr ydym ni sy'n Gymry, yn hawlio ein bod yn gyfrifol am
> wareiddiad a dulliau bywyd cymdeithasol yn ein rhan ni o Ewrop.
> Dyna uchelfryd politicaidd y Blaid Genedlaethol.

Yn yr hanner canrif bron a aeth heibio oddi ar hynny ni newid-
iodd y Blaid ddim ar ei nod. Sicrhau rhyddid cenedlaethol yw
ei hamcan o hyd. Cyd-ddibynnol yw cenhedloedd y ddynol-
iaeth, a syniad diffrwyth yw annibyniaeth, a elwir weithiau yn
sofraniaeth absoliwt neu ddiamod. Nid yw'n berthnasol i les y
dinesydd eithr i falchder gwladwriaethau mân a mawr. Yr hyn
sy'n hanfodol i fywyd cyflawn pobl a chenhedloedd yw rhydd-

id, digon o ryddid iddynt fyw eu bywyd eu hunain, iddynt fod yn gyfrifol am eu bywyd eu hunain.

Tua hanner canrif yn ôl yr oedd gwledydd aeddfetaf yr Ymerodraeth yn awyddus i daflu ymaith bob llyffethair ar eu rhyddid; ac ym 1931 ailddiffiniwyd eu safle cyfansoddiadol gan Ystatud Westminster. Fe'i galwyd yn safle dominiwn. Ym 1932 mabwysiadwyd hwn fel polisi'r Blaid. Ni wnâi'r safle ond ychydig bach o wahaniaeth i ffiniau sofraniaeth y dominiwn. Er enghraifft, i bob un y Cyfrin Gyngor (*Privy Council*) yn Llundain oedd y llys apêl uchaf. Cydnabyddai pob un y pryd hynny y goron Seisnig, a lluniwyd cyfaddawd doniol i'r rhain sy'n parhau hyd at y dwthwn hwn. Pan â'r Frenhines i Canada â yno fel Brenhines Canada. Er mai'r ddamcaniaeth yw bod pob gallu yn deillio o'r goron, fel mater o ffaith y mae'n ddibwys iawn yn gyfansoddiadol. Mae'n ddolen deimladol rhwng y gwledydd sy'n ei chydnabod. Yng Nghymru emosiynol yw ei phwysigrwydd ac y mae hynny'n fawr. Deffry deimladau cryfion dros ac yn erbyn, ond at ei gilydd glyna'r Cymry'n dynn wrthi. Nid yw'n ddigon pwysig i fod yn rhwystr ar ffordd ennill sylwedd rhyddid.

Datganwyd am y dominiynau yn Ystatud Westminster eu bod yn 'genhedloedd rhydd a chydradd heb fod yn israddol y naill i'r llall mewn unrhyw agwedd o'u materion cartrefol neu dramor'. O gymhwyso hyn at berthynas Cymru â Lloegr gwelir y byddai gan Gymru gyda'r statws hwn yr holl ryddid sydd ei angen arni. Derbynnid unrhyw derfyn arno yn wirfoddol.

Wedi'r rhyfel peidiwyd â sôn am ddominiynau ac Ymerodraeth eithr am Gymanwlad a statws Cymanwladol, newid geiriol i gydnabod y gwrthwynebiad i'r syniad ymerodraethol. Byr fu oes sylwedd y Gymanwlad, sydd erbyn heddiw yn fawr mwy na chysgod yr Ymerodraeth Brydeinig. Yn y sefyllfa hon peidiodd y Blaid â sôn am statws Cymanwladol fel ei nod, eithr am safle cenedlaethol cyflawn.

Pwysig yw deall yr hyn a wrthodwyd gan yn Blaid wrth fabwysiadu safle dominiwn yn nod cyfansoddiadol. Yn gyntaf ymwrthododd â phob safle datganolog sy'n cadw pob awdurdod terfynol yn Llundain. Er y gall y safle hwn olygu llawer o ddatganoli deddfwriaethol fel yn achos yr hen Stormont yng

Ngogledd Iwerddon, os yw Llundain yn penderfynu galw'r cyfan neu ran yn ôl gall wneud hynny. Gwnaeth hyn yn achos y Stormont ddwy flynedd yn ôl. Er ymwrthod â hyn fel nod terfynol cydnebydd y Blaid y byddai'n welliant enfawr ar ein sefyllfa bresennol.

Yr ail bolisi a wrthodwyd yw ffederaliaeth a gymysgir yn aml â safle datganolog er bod gwahaniaethau mawr rhwng y ddau. Nodwedd ffederaliaeth yw bod unedau'r wladwriaeth bob un yn sofran yn ei faes. Cymerer Y Swisdir fel yr enghraifft glasurol. Y mae gan lywodraeth pob un o'r tri ar hugain 'canton' alluoedd sylweddol iawn. Y Llywodraeth ganol sy'n gyfrifol am faterion tramor, amddiffyn milwrol a rhywfaint o arolygu economaidd. Yn nwylo llywodraeth y canton y mae pob gallu arall o bwys mawr; ac ni all y llywodraeth ganol dynnu'r un gallu oddi wrtho.

Dywed y Rhyddfrydwyr y sefydlant lywodraeth ffederal ym Mhrydain pan ddeuant i rym, ond beth bynnag yw gobaith y Rhyddfrydwyr ceid bod sefydlu Prydain ffederal o leiaf mor anodd â sylweddoli polisi Plaid Cymru. A bwrw nad yw Lloegr ei hun yn cael ei rhannu'n daleithiau ymreolus byddai pedair uned yn y wladwriaeth, sef Lloegr, Yr Alban, Cymru a Gogledd Iwerddon (os na bydd yn rhan o Iwerddon ffederal). Ceid dwy Lywodraeth yn Llundain, un i'r wladwriaeth ffederal oll a'r llall i Loegr. Byddai cyfansoddiad ysgrifenedig yn disodli y cyfan-soddiad anysgrifenedig, a ddatblyga o gynsail i gynsail, sy'n cael ei ystyried gan Saeson yn rhan o ogoniant Lloegr. Sefydlid llys apêl arbennig i wrando ar achosion o wrthdaro rhwng yr uned ffederal genedlaethol a'r llywodraeth ganol. Byddai angen dau gorff gwahanol o weision sifil yn Llundain, un i wasanaethu'r wladwriaeth ffederal gyfan a'r llall gogyfer â Lloegr; ac etholiad-au ar wahân.

Trefn anodd iawn i'w chynnal yw'r drefn ffederal lle bo'r unedau yn anghyfartal o ran maint a chyfoeth. 46 miliwn yw poblogaeth Lloegr tra nad yw'r Alban, Cymru a Gogledd Iwerddon gyda'i gilydd yn ddim ond naw miliwn. Ymhellach, trefn i daleithiau, nid i genhedloedd, yw ffederaliaeth. Daliai cenedlaetholwyr Yr Alban a Chymru i ymdrechu o blaid safle cenedlaethol cyflawn. Gallai'r drefn fod yn fyr ei pharhad er

maint y chwyldro yn Lloegr. Un o fanteision polisi cyfansodd-
iadol cenedlaethwyr Yr Alban a Chymru yw y gadawai gyfan-
soddiad Lloegr yn gyfan.

Yn gynnar yn y 50au cyhoeddwyd llyfr ar y cyd, o dan y teitl
Our Three Nations, gan Blaid Cymru, yr SNP a Phlaid Common-
wealth. Amlinellodd y berthynas yr amcanem ati rhwng Lloegr,
Yr Alban a Chymru. Gwelem hwy fel partneriaid mewn con-
ffederaliaeth, sy'n ffurf lac ar berthynas rhwng gwledydd rhydd
a chydradd sydd heb ffin filwrol nac economaidd rhyngddynt.
Gallai eu dinasyddion symud o'r naill i'r llall heb drwyddedau
teithio, a nwyddau heb dollau. Byddai pobl, nwyddau a
chyfalaf yr un mor rhydd i symud rhwng y tair gwlad ag ydynt
heddiw; ac arolygid y sefyllfa rhyngddynt gan Gyngor o'u cyn-
rychiolwyr, yn debyg i'r Cyngor Nordig sy'n arolygu'r berthynas
rhwng gwledydd Llychlyn. Mewn conffederaliaeth, yn wahanol
i ffederaliaeth, byddai gan Gymru safle cenedlaethol cyflawn
gyda rheolaeth ar bolisi amddiffyn ac ar bolisi tramor, ac ni
byddai dim rheolaeth wleidyddol o Lundain ar ei bywyd
economaidd. Rhoddid iddi gynrychiolaeth ar Gomisiwn a
Chyngor Gweinidogion y Farchnad Gyffredin ynghyd ag aelod-
aeth yn Nhrefn y Cenhedloedd Unedig. Er ei lleied disgwyliem
iddi wneud cyfraniad o bwys i'r bywyd cydwladol.

Fel y tyfai Plaid Cymru yn ystod y blynyddoedd wedi'r
rhyfel gwelid cyfres o ddatblygiadau cyfansoddiadol bach a gyd-
nabu genedligrwydd Cymru: Gweinidog Materion Cymreig,
Gweinidog Gwladol, Ysgrifennydd Gwladol gydag is-
weinidogion, Swyddfa Gymreig a llawer o ddatganoli gwleidydd-
ol, Uwch-bwyllgor seneddol, Cyngor Economaidd a olygai gyd-
nabod Cymru am y tro cyntaf yn endid economaidd.* Cafwyd
Deddf yr Iaith ym 1967, ac yn yr un flwyddyn cydnabuwyd
Cymru yn endid yng ngweinyddiaeth y gyfraith, gan gynnwys
Sir Fynwy yng Nghymru a chael gwared ar yr ymadrodd 'Cymru
a Sir Fynwy'.

Yng Ngorffennaf 1966 cryfhawyd cenedlatholdeb Cymreig
gan y fuddugoliaeth yng Nghaerfyrddin a roes i'r Blaid ei sedd
seneddol gyntaf. Dyfnhawyd yr argraff a wnaeth hyn gan ei

* Wedi traddodi'r ddarlith hon sefydlwyd yr Awdurdod Datblygu Cymreig
a Chyngor Undebau Llafur Cymreig.

phleidleisiau trwm yn Y Rhondda a Chaerffili. Yn Nhachwedd 1967, wedi eu hysbrydoli gan Gaerfyrddin, enillodd cenedl-aetholwyr Yr Alban fuddugoliaeth fawr pan gipiodd Winnie Ewing Hamilton. Rhoes y buddugoliaethau hyn ysgytiad chwyrn i'r Llywodraeth a'i gorfodi i roi'r argraff ei bod yn gweithredu'n benderfynol dros Gymru a'r Alban. Sefydlodd Gomisiwn Brenhinol i ystyried gwella cyfansoddiad y ddwy wlad. Dyfais i ennill amser oedd hyn er na welsai'r ddwy genedl ddim mor bwysfawr yn y maes cyfansoddiadol ers pan unwyd Yr Alban a Lloegr ym 1707. Disgwyliai'r Llywodraeth weld cenedlaetholdeb Cymreig a Sgotaidd yn mynd heibio fel niwl y bore. Ni fwriadai weithredu ymhellach.

Ystyriai fod ailennill Caerfyrddin a Hamilton gan y Blaid Lafur ym 1970 yn gyfiawnhad dros yr agwedd hon, a phan gyhoeddwyd Adroddiad Comisiwn Kilbrandon ddwy flynedd yn ddiweddarach cafodd dderbyniad gelyniaethus. Prif argymhell-iad y grŵp mwyaf ar y Comisiwn oedd bod sefydlu seneddau yn Yr Alban a Chymru gan ddatganoli iddynt alluoedd deddfwr-iaethol yn y meysydd a weinyddwyd gan Swyddfeydd Sgotland a Chymru. Ymwrthodwyd â ffederaliaeth.

Y mater olaf y cyfeiriaf ato yw penderfyniad gwledydd Prydain yn y Refferendwm i aros yn y Farchnad Gyffredin. Gwrthwynebwyd hyn gan y Blaid, ond gan ein bod i mewn rhaid gwneud y gorau o'r sefyllfa. Rhennir llywodraeth Cymru bellach rhwng Llundain a Brwsel. Serch hynny nid oes gan Gymru gynrychiolaeth uniongyrchol nac arhosol ar sefydliadau Brwsel. Y mae gan Iwerddon, Denmarc a Lwcsembwrg gynrychiolaeth ar Gyngor y Gweinidogion, y Comisiwn ac ar y pwyllgorau pwysig megis y Pwyllgor Economaidd a Materion Cymdeithasol. Nid oes gan Gymru ddim. Dibynna'n llwyr ar Lundain i ddadlau drosti. Fe fydd gan Iwerddon bymtheg aelod yn y Senedd Ewropeaidd fel y'i gelwir, a chan Lwcsembwrg chwech. Pedwar a gaiff Cymru. Pery'r sefyllfa annioddefol hon cyhyd ag y bo Cymru heb safle cenedlaethol cyflawn.

Prif ddadl gwrthwynebwyr rhyddid i Gymru yw y torrai Gymru i ffwrdd oddi wrth ei chymdogion yn economaidd. Diau y parhânt i'w ddefnyddio, ond ni ellir gwneud hynny yn onest pan yw Cymru yn y Farchnad Gyffredin sy'n dileu'r rhwystrau ar ffordd masnach rhwng yr aelodau â'i gilydd. Amcan y

Farchnad yw cael gwared ar arwahanrwydd economaidd yr aelodau oddi mewn i'w ffiniau hi.

O'r safbwynt cenedlaethol Cymreig nid oes ddadl dros barhad y wladwriaeth Brydeinig. Ar wahân i'r ffaith fod Cymru yn dioddef, ac yn rhwym o wneud, fel talaith ymylol ynddi neu drefedigaeth fewnol, amcan y Llywodraeth Brydeinig trwy'r blynyddoedd, er na chyfaddefai hyn wrth reswm, yw dileu hunaniaeth genedlaethol Cymru. Priod swydd y wladwriaeth yw gwasanaethu'r gymdeithas genedlaethol, ac y mae'r wladwriaeth Brydeinig yn gwasanaethu Lloegr; ond brwydr gyson yn erbyn ei nerth arswydus yw brywdr Cymru dros barhad ei chenedligrwydd. Ymleddir y frwydr wleidyddol hon gan Blaid Cymru a chanddi hi yn unig. Rhaid i'r sawl sy'n ymdaflu iddi ddeall mai ymdrech oes a mwy yw'r hyn yr ymroes Plaid Cymru iddi. I ni modd i gyrraedd nod uchel yw hunanlywodraeth. Rhyddid cenedlaethol yw prif amod llwyddiant yn y gorchwyl mawr o greu yn ein gwlad gymdeithas ddynol a gwâr, cyfiawn a Chymraeg; cenedl a wna gyfraniad o bwys i'r ddynoliaeth am iddi gael ei chymodi â'i gorffennol teg ei hun.

Llyfrau eraill o ddiddordeb i'r cenedlaetholwr:

CYMRU FACH gan Leopold Kohr   **£2.45**
"Athroniaeth y bach" gyda golwg arbennig ar broblemau Cymru:
casgliad o ysgrifau gan un o feddylwyr gwleidyddol disgleiriaf y byd.

ETHOLIADAU SENEDDOL YNG NGHYMRU 1900—1975 gan Beti Jones
Pris £2.85 (clawr caled)
Holl ganlyniadau'r ganrif, gyda hanes yr etholfraint, bywgraffiad o'r Aelod-
au, lluniau, mapiau, a mynegai i'r ymgeiswyr.

PRISON LETTERS gan John Jenkins   **£1.95**
Casgliad hanesyddol o lythyrau deifiol eu harddull a chwyldroadol eu neges.

TO DREAM OF FREEDOM gan Roy Clews   **£2.75**
Hanes llawn, cyffrous M.A.C. a Byddin Rhyddid Cymru yn y chwedegau;
yn llawn lluniau. Y llyfr a fu ar ddesg y Cyfarwyddwr Erlyniadau Cyhoedd-
us, ac y mae'r Cyngor Llyfrau yn dal i wrthod ei ddosbarthu!

THE JOY OF FREEDOM gan Derrick Hearne   **£1.85**
Casgliad o astudiaethau sy'n ceisio gosod sylfaen i Ideoleg Cenedlaethol a
all herio a threchu trefn imperialaidd y sais.

THE RISE OF THE WELSH REPUBLIC gan Derrick Hearne   **90c**
Darlun cynhwysfawr o fywyd yn ystod deng mlynedd cyntaf Gweriniaeth
Gymreig a sefydlir yn y dyfodol agos, ar drothwy Oes y Prinder.

THE WELSH EXTREMIST gan Ned Thomas   **£1.75**
Dadansoddiad treiddgar o argyfwng y Cymro Cymraeg gyda phenodau
gwerthfawr ar rai o'n prif lenorion; lluniau.

ENWAU I'R CYMRY gan Heini Gruffudd   **95c**
Dros 1,000 o enwau i blant, gydag ystyron, nodiadau hanesyddol, a lluniau.
Y casgliad llawnaf ar y farchnad.

Allan cyn bo hir—

DIWEDD PRYDEINDOD gan Gwynfor Evans   **tua £2**
THE ABC OF THE WELSH REVOLUTION gan Derrick Hearne   tua £4

*Rhestr gyflawn o'n holl gyhoeddiadau yn ein catalog 32-tudalen: rhad ac
am ddim gyda throad y post!*

Y Lolfa Cyf.

TALYBONT CEREDIGION SY24 5HE; ffôn Talybont (097086) 304.